Catherine Bélisle-Prévost

56

ON NE VEUT PLUS DE TOI, CLAUDIA

Quatre gardiennes fondent leur club

Ann M. Martin

Adapté de l'américain par
Lucie Duchesne

Données de catalogage avant publication (Canada)

Martin, Ann M., 1955-

On ne veut plus de toi, Claudia

(Les Baby-sitters ; 56)
Traduction de : Keep Out, Claudia !
Pour les jeunes.

ISBN : 2-7625-8120-6

I. Titre. II. Collection : Martin, Ann M., 1955-
Les baby-sitters ; 56.

PZ23.M37On 1995 j813'.54 C95-940794-4

Conception graphique de la couverture : Jocelyn Veillette

Dépôts légaux : 2e trimestre 1995
Bibliothèque nationale du Québec
Bibliothèque nationale du Canada

ISBN : 2-7625-8120-6 Imprimé au Canada

LES ÉDITIONS HÉRITAGE INC.
300, rue Arran, Saint-Lambert (Québec) J4R 1K5
(514) 875-0327

À Olivia Ford
Merci.

— Claudia, est-ce que tu trouves que Stéphane joue bien ? demande Jérôme Robitaille.

J'entends un air de piano qui vient du salon.

— Qu'est-ce qu'il est censé jouer ?

— Un dadjo, répond Jérôme en haussant les épaules.

— Un dadjo ? Je crois que c'est un « adagio ».

Je ne connais pas grand-chose à la musique, sauf que j'aime certains groupes et certains chanteurs. Et, depuis quelque temps, je commence à aimer la musique de Bach. Sans blague ! Sa musique est extraordinaire, quand on l'écoute vraiment.

Donc, j'entends de nouveau quelques notes, puis un « vlan ! », comme si on avait donné un coup de poing sur le clavier. Stéphane reprend la mélodie, et j'entends encore un « vlan ! ».

— Zut de zut ! crie Stéphane.

— Je crois qu'il ne joue pas très bien, dit Jérôme.

— Tu dois avoir raison.

— Oui, fait Augustin, le petit frère de Jérôme et de Stéphane.

On est lundi après-midi, et je garde les trois frères Robitaille, trois petits rouquins au visage constellé de taches de rousseur. Stéphane a neuf ans, Jérôme, sept ans, et Augustin, quatre ans. Stéphane prépare son prochain récital de piano.

Un autre « vlan ! ».

— Zut de zut !

Jérôme et Augustin éclatent de rire. Puis Jérôme regarde l'énorme fusée en Lego qu'il construit avec son frère. Chez les Robitaille, il y a plus de Lego que dans un magasin de jouets.

— J'aimerais jouer du piano ou d'un autre instrument, dit Jérôme.

Il prend des Lego et commence à ajouter une aile à la fusée. L'aile tombe par terre et se défait en morceaux au moment où le chien des Robitaille entre en trombe dans la salle de jeu. Jérôme glisse sur les Lego et culbute sur la table où est placée la fusée.

— Oh ! non ! crie Augustin lorsque la table se renverse et que la fusée s'écrase sur le plancher.

— Est-ce que c'était ma faute ? me demande Jérôme d'un air piteux.

— Mais non, dis-je en essayant de sourire. C'est un peu la faute du chien. Il a peut-être besoin de faire de l'exercice. Pourquoi ne l'amènes-tu pas dehors ? Augustin et moi, nous essaierons de reconstruire la fusée.

— D'accord, répond Jérôme en soupirant. Mais ne t'étonne pas si je fonce dans la remise ou si j'écrase les fleurs des plates-bandes.

Jérôme est un gaffeur-né. Quelquefois, ça lui cause des embêtements, mais il est plutôt de caractère insouciant.

J'entends de nouveau quelques notes de musique, puis un « vlan ! ».

— Zut de zut !

— Claudia, tu sais quoi ? demande Augustin lorsque Jérôme et le chien sont sortis. J'aimerais jouer dans une pièce de théâtre ou dans un spectacle. Je veux être sur une scène, devant des centaines de personnes. Je veux que les gens m'applaudissent et rient de mes blagues.

— Tu veux être un artiste toi aussi ? Hum... Jérôme veut jouer d'un instrument et Stéphane prépare son récital. Les garçons, vous devez sûrement aimer le monde du spectacle.

— Oui, répond Stéphane. Pas toi ?

Honnêtement, je n'y ai jamais vraiment pensé. J'ai d'autres intérêts, comme les arts, la garde d'enfants et les friandises de toutes sortes.

Je m'appelle Claudia Kishi. J'ai treize ans et j'habite ici, à Nouville, avec mes parents et ma sœur aînée. Mes meilleures amies font partie d'une petite entreprise appelée le Club des baby-sitters. Je suis la vice-présidente du Club, que nous appelons entre nous le CBS.

Je suis vice-présidente depuis la fondation du Club, lorsque nous étions en sixième année. Maintenant, je suis en deuxième secondaire. Je dois vous confier un secret : je ne suis pas une très bonne élève. J'ai des problèmes en français, surtout. Je ne suis pas idiote, mais des fois, je me sens idiote ! L'école, ça ne m'intéresse pas vraiment. Sauf les arts plastiques. Et, à la maison, je trouve généralement un million de choses plus excitantes à faire que les devoirs. Mes parents disent que je dois apprendre à me discipliner et à avoir plus le sens des responsabilités. Moi, je crois que je suis disciplinée et responsable, mais qui a besoin de savoir ce qu'est l'hypoténuse ou si le mot philosophie commence par « ph » ou par « f » ? Pourquoi ne pas aller au plus simple et écrire « filozofie » ? Donc, pas étonnant que j'aie des résultats désastreux en français.

Je me sentirais peut-être moins cruche si ma sœur Josée n'était pas aussi intelligente. Josée est un génie. Elle a seize ans et elle finit son secondaire, mais elle suit depuis deux ans des cours spéciaux au cégep. Imaginez ! Elle avait quinze ans et elle allait à l'école avec des étudiants qui avaient quatre ou cinq ans de plus qu'elle. Et ses résultats sont aussi bons que les leurs, sinon meilleurs. C'est pourquoi je me sens idiote. Je ne le suis pas, mais quand je me compare à ma sœur, j'ai l'air d'une idiote.

Peut-être que si je portais des lunettes et des vêtements sérieux, comme Josée... Non, ce ne serait pas moi. Ne pensez pas que je sois vaniteuse ou superficielle, mais les vêtements et la mode sont très importants pour moi. C'est presque aussi important que les arts et la garde d'enfants. J'aime être jolie, et j'ai un certain talent pour m'habiller. Toutes mes amies sont de cet avis. Certaines copient même mes trouvailles. J'ai toujours des vêtements à la mode, et j'aime bien faire preuve d'imagination et essayer les nouveautés. Je dois avouer que l'argent que je gagne en gardant me sert premièrement à acheter du matériel d'artiste et, ensuite, des bijoux et des accessoires. Je n'ai pas beaucoup d'économies (contrairement à mes amies Christine et Jessie, qui économisent leurs sous).

Pendant que je ramasse avec Augustin les morceaux de la fusée, je pense à la prochaine réunion du CBS, en fin d'après-midi. Nos réunions ont lieu dans ma chambre.

Madame Robitaille m'a dit qu'elle serait de retour avant 17h, et la réunion commence à 17h30. J'aurai tout juste le temps de filer à la maison et de mettre de l'ordre dans ma chambre. D'habitude, ça ne me dérange pas, car mes amies sont habituées à mon désordre. Mais aujourd'hui, c'est le fouillis, parce que je viens de commencer à fabriquer des mobiles en céramique et qu'il y a des figurines et des bouts de fil de fer partout dans ma chambre. (Sans compter les tablettes de chocolat, les sacs de croustilles et de maïs soufflé.)

La porte d'en arrière s'ouvre et le chien bondit dans la pièce, suivi de Jérôme.

— La remise tient toujours debout, annonce-t-il. Si j'ai fait une gaffe, je ne m'en suis pas rendu compte.

— Ne t'en fais pas, dis-je en souriant. Tu n'as pas fait exprès de foncer sur la fusée. Ce n'était qu'un accident.

— Ouais... un de plus, précise Jérôme.

— De toute façon, Augustin et moi, on a presque fini de reconstruire la fusée. Tu vois? Elle s'était défaite en gros morceaux.

— Tant mieux, dit Jérôme, le désastre ambulant.

« Vlan ! »

— Zut de zut ! crie Stéphane avant d'éclater de rire.

— Hé, Stéphane, tu peux arrêter de t'exercer ! dis-je. La demi-heure est écoulée.

— D'accord, me répond-il, mais il continue à jouer.

Je pense qu'il est inquiet au sujet de son récital.

— Il a de la chance, Stéphane, dit Augustin en m'aidant à remettre la fusée sur la table. Je pourrais donner un récital, moi aussi. Je peux jouer « Au clair de la lune » au piano.

— À un doigt... murmure Jérôme. Et moi, je pourrais

jouer du… du… je pourrais jouer de quelque chose, ajoute-t-il précipitamment.

— Et je pourrais danser et chanter, ajoute Augustin. Je pourrais être une vedette.

Madame Robitaille arrive à 16 h 45. Dès qu'elle m'a payée, j'enfourche mon vélo et je file à la maison. Je pense à Jérôme, qui voudrait jouer d'un instrument, et à Augustin, qui voudrait devenir une vedette. Le Club pourrait préparer un spectacle musical pour les enfants que nous gardons. Les frères Robitaille ont vraiment l'air de vouloir participer à un tel projet. Et je suis sûre que les autres enfants seraient enthousiasmés.

Perdue dans mes pensées, je trébuche presque sur Josée, qui est assise dans l'escalier devant la maison. Elle lit un de ses livres de sociologie.

— Désolée ! dis-je. Qu'est-ce que tu fais ici ?

Il fait beau et chaud, mais Josée préfère toujours étudier dans sa chambre. Elle n'aime pas tellement aller dehors.

— Je ne trouve pas ma clé.

— Eh bien, je suis là pour sauver la situation !

Nos parents travaillent tous les deux, alors si Josée ou moi perdons nos clés, nous avons un problème. Mon père travaille dans une société de courtage, et maman est la directrice de la bibliothèque municipale de Nouville.

J'ouvre la porte et je fais entrer Josée.

— Tu as une réunion ? dit-elle en jetant un coup d'œil à sa montre.

— Oui, et je vais faire le ménage de ma chambre. Veux-tu me tenir compagnie ?

Josée est peut-être démodée et considérée comme un génie par rapport à moi, mais c'est ma sœur et je l'aime beaucoup.

— D'accord, dit-elle.

Josée me suit jusqu'à ma chambre. Elle s'exclame :

— Quelle horreur ! Qu'est-ce que tu es en train de fabriquer ?

Elle réussit à trouver une petite place sur mon lit pour s'asseoir.

— Des mobiles. Tu veux voir ?

Je lui montre un mobile à moitié terminé, avec des bottes de cow-boy, un cactus et un coyote en céramique suspendus à des fils métalliques ondulés. Puis je lui montre une nature morte que je viens de peindre, une esquisse au fusain et des projets de bijoux avec des perles, des paillettes et de la dentelle. Je commence à ranger.

Josée fait un petit sourire en me voyant tirer un sachet de bonbons de dessous une pile de papiers et de dessins, sur mon bureau, alors que j'essaie de mettre un peu d'ordre dans ce fouillis.

— Vas-tu être prête à temps ? demande-t-elle.

— Je l'espère.

Et au même moment, j'entends la porte d'entrée s'ouvrir et se refermer, puis des bruits de pas.

— C'est moi ! crie Sophie Ménard.

Un peu avant 17h30, Josée va dans sa chambre s'installer à son ordinateur. Les six autres membres du Club sont maintenant arrivées: Christine Thomas, Anne-Marie Lapierre, Sophie Ménard, Diane Dubreuil, Jessie Raymond et Marjorie Picard.

— La réunion va commencer, annonce Christine.

Elle est assise dans mon fauteuil, les jambes croisées, une visière sur le front, un crayon sur l'oreille et un carnet de notes sur les genoux. Christine est notre présidente. C'est elle qui ouvre les réunions en nous rappelant chaque fois à l'ordre. Son petit côté gendarme lui va comme un gant.

On dirait que nous nous rencontrons depuis toujours, lors de ces réunions qui ont lieu tous les lundis, mercredis et vendredis, de 17h30 à 18 h. En fait, comme je vous l'ai dit, le CBS existe seulement depuis la fin de notre primaire. C'est Christine qui a eu l'idée du Club, qui ne comptait que quatre membres, au début: Christine, Sophie, Anne-Marie et moi. Quand nous avons commencé à avoir plus de clients, nous avons recruté du personnel: d'abord Diane, puis Marjorie et Jessie.

Le fonctionnement du Club est simple. Lorsque des parents de Nouville (surtout dans notre quartier) ont besoin d'une gardienne, ils nous appellent pendant nos réunions. Comme nous sommes sept gardiennes compétentes, il y en a toujours une pour répondre à la demande (ainsi, les parents n'ont pas à faire des tonnes d'appels pour trouver une gardienne libre). Mes amies et moi obtenons une foule d'engagements, et c'est super, parce que nous adorons les enfants. (L'argent que nous gagnons aussi !)

Chaque membre a des responsabilités bien définies. C'est Christine qui a fondé le Club. Elle le dirige de façon tout à fait professionnelle et y apporte toujours des suggestions intéressantes. Par exemple, les trousses à surprises. Ce sont des boîtes de carton (nous en avons chacune une) que nous avons décorées et remplies de nos vieux livres, jeux et jouets, avec du matériel de bricolage, des livres d'activités, etc. Nous les apportons souvent en allant garder. Les enfants en raffolent : c'est l'une des raisons pour lesquelles nous sommes si populaires.

Christine a eu aussi l'idée d'un journal de bord et d'un agenda pour le Club. Question d'efficacité. Dans le journal de bord, nous faisons un compte rendu de chacune de nos gardes. Nous devons le lire chaque semaine, pour apprendre comment nos collègues ont résolu certains problèmes et pour demeurer au courant de ce qui peut arriver chez nos clients. Quant à l'agenda, il contient les nom, adresse et numéro de téléphone des clients, les tarifs payés, de même que quelques notes sur les enfants que nous gardons régulièrement, sur leurs allergies ou leurs peurs, ou encore sur les médicaments qu'ils doivent prendre. Cela nous est très utile.

Christine me surprend toujours par ses idées de génie. Depuis que je la connais, elle a toujours été comme ça. Christine, Anne-Marie et moi avons grandi ensemble. Avant ces dernières années, nous habitions la même rue : Christine en face de chez moi et Anne-Marie, la maison d'à côté. (Depuis, elles ont déménagé.) Donc, déjà quand nous étions petites, Christine avait toujours une nouvelle idée à proposer.

La famille de Christine est plutôt intéressante, à mon avis tout au moins. Elle a deux frères aînés, Sébastien et Charles (ils sont dans la même classe que ma sœur), et un petit frère de sept ans, David. Son père les a quittés quand David était encore bébé. Pendant longtemps, la mère de Christine a travaillé dur pour assurer la subsistance des quatre enfants, et elle a magnifiquement réussi. Elle occupe un poste élevé dans une entreprise. Quand Christine était en sixième année, sa mère a rencontré un homme qui s'appelle Guillaume Marchand, et ils sont devenus amoureux. Et devinez quoi ! Guillaume est millionnaire, pour vrai. Guillaume et la mère de Christine se sont mariés, et les Thomas ont emménagé dans sa maison (un vrai château), à l'autre bout de la ville. Christine s'est donc retrouvée avec un beau-père et, en même temps, une demi-sœur et un demi-frère, Karen et André, qui ont sept et quatre ans. Et ce n'est pas fini ! Il n'y a pas longtemps, Guillaume et la mère de Christine ont adopté Émilie, une petite fille de deux ans et demi qui est née au Viêt-nam.

Comme vous pouvez l'imaginer, la vie chez les Thomas est parfois mouvementée. Même si Karen et André viennent seulement de temps en temps (ils vivent surtout chez leur mère et leur beau-père, qui habitent aussi Nouville), la maison ressemble un peu à un zoo, avec tous ces enfants, la grand-mère de Christine, qui s'est jointe à la famille pour aider à s'occuper d'Émilie, et sans compter divers animaux de compagnie.

Comment est Christine ? Disons qu'elle est énergique et ouverte, et qu'elle a la langue bien pendue. Elle admet elle-même qu'elle parle tout le temps. Elle aime le sport et les enfants, et c'est pourquoi elle a décidé d'organiser et de diriger une équipe de balle molle (les « Cogneurs ») pour les tout-petits. Christine a le sens de l'humour et elle réussit à l'école. Elle a les yeux et les cheveux bruns, et elle est la plus petite de sa classe. (Au fait, Christine a treize ans, comme moi et les autres membres du Club, à l'exception de Marjorie et de Jessie, qui ont onze ans et sont en sixième année.) S'il y a une chose qui n'intéresse pas Christine, c'est bien les vêtements. Elle porte toujours un jean et un t-shirt ou un col roulé, des chaussettes informes, de vieilles chaussures de sport et, quelquefois, une casquette de base-ball. Si elle y est obligée, elle se maquillera et portera quelques bijoux, mais elle le fera rarement d'elle-même.

Pouvez-vous imaginer que Christine a un petit ami ? Eh oui ! Mais elle m'en voudrait à mort si elle m'entendait parler de ça. Elle et Marc Tardif, qui habite dans son quartier, passent beaucoup de temps ensemble, et pas seulement au terrain de balle molle (Marc est l'entraîneur d'une équipe rivale, les « Matamores »). Ils sont même allés ensemble à quelques danses de l'école.

Passons maintenant à la vice-présidente du CBS : moi. Je vous en ai déjà dit beaucoup sur moi-même et ma famille, mais je dois ajouter que si j'ai été élue vice-présidente, c'est surtout parce que j'ai un téléphone dans ma chambre. Et avec une ligne privée, s'il vous plaît. C'est important, car si nous utilisions le téléphone de nos parents, ils ne pourraient pas s'en servir pendant nos réunions, et si nous recevions un appel pour un membre de la famille, nos clients auraient alors de la difficulté à nous joindre. Nous avons donc de la chance d'avoir mon téléphone. En tant que vice-présidente, j'offre aussi aux membres mes provisions de croustilles, de bonbons et de maïs soufflé. Mais, ce qui est plus important, c'est que je m'occupe des appels entre nos réunions.

Un dernier détail à mon sujet: je suis d'origine japonaise. C'est pourquoi j'ai de longs cheveux noirs, des yeux en amande et un beau teint, surtout quand on pense à la quantité de friandises que je mange.

Anne-Marie Lapierre est la secrétaire du Club. Ses responsabilités sont complexes: elle doit organiser toutes les gardes qui nous sont demandées. Elle doit donc tenir compte de mes cours d'arts plastiques, des visites de Marjorie chez l'orthodontiste, des cours de ballet de Jessie, et ainsi de suite. À ce que je sache, elle n'a jamais fait d'erreurs.

Lorsque je vous aurai décrit le genre de fille qu'est Anne-Marie, vous vous demanderez peut-être comment il se fait qu'elle soit la meilleure amie de Christine. Moi-même, ça m'étonne encore, et pourtant je les connais depuis toujours. Vous vous souvenez que je vous ai dit que Christine parle tout le temps ? Eh bien, Anne-Marie est une fille réservée, timide et sentimentale. Et elle est tellement sensible. Ce n'est pas que Christine soit insensible, mais elle a la couenne dure, contrairement à Anne-Marie. Cependant, Anne-Marie est forte. Sa vie n'a pas été facile.

Elle a perdu sa mère quand elle était toute petite, et elle a été élevée par son père, qui est très sévère. Monsieur Lapierre adore sa fille, c'est évident, mais il l'a surprotégée et traitée comme un bébé. Ça ne fait pas longtemps qu'elle a eu la permission de porter les cheveux longs et de choisir ses propres vêtements (elle est plus à la mode et a moins l'air d'une fillette). Et, croyez-le ou non, elle a un petit ami, Louis Brunet. Ils sortent ensemble depuis un bon moment (sauf pendant la « Grande Séparation »). Louis est fantastique. Il est gentil et il comprend bien Anne-Marie. Il est aussi membre associé du CBS. C'est un excellent gardien, et nous l'appelons lorsque aucune d'entre nous n'est disponible (dans ces cas, nous pouvons aussi appeler Chantal Chrétien, l'autre membre associé ; elle habite en face de chez Christine).

Vous ne devinerez jamais ce qui est arrivé à Anne-Marie cette année. Son père s'est finalement remarié avec une femme qui avait déjà un fils et une fille. Mais le plus incroyable dans tout ça, c'est que la fille en question est Diane Dubreuil, l'autre meilleure amie d'Anne-Marie. Imaginez la situation : votre meilleure amie devient votre demi-sœur !

Voici ce qui s'est passé : auparavant, Diane habitait en Californie. Mais ses parents ont divorcé. C'est alors que madame Dubreuil, avec Diane et son frère Julien, est venue s'installer à Nouville, où elle est née. Diane et Anne-Marie sont immédiatement devenues amies, et Diane n'a pas tardé à devenir membre du Club. À peu près en même temps, monsieur Lapierre a commencé à fréquenter madame Dubreuil et ils se sont mariés ! Anne-Marie, son père et son chaton Tigrou ont donc emménagé dans la maison de Diane (qui est plus grande que celle des Lapierre), et les deux amies sont devenues des demi-sœurs. Quelle histoire !

On peut dire que la réalité dépasse la fiction.

Comme il est question de Diane, je vais vous expliquer tout de suite son rôle dans le Club. Elle est membre suppléant. Si l'une de nous ne peut assister à une réunion du CBS, c'est Diane qui la remplace et assume ses responsabilités. Elle doit donc savoir comment faire le travail de chacune, ce qui n'est pas facile. Mais Diane est fiable. Nous pouvons toujours compter sur elle.

Diane est individualiste. Elle agit à sa façon, sans se soucier des qu'en-dira-t-on. Je ne veux pas dire qu'elle est indifférente. Plutôt, elle a ses opinions, elle fait ce qu'elle a envie de faire, elle s'habille comme elle veut, peu importe ce qu'on peut penser d'elle. Si les enfants ne sont pas d'accord avec elle, elle ne s'en fera pas outre mesure. Elle a une très forte personnalité. Je l'admire vraiment.

Diane a de longs, longs cheveux blonds et des yeux bleus. Quand elle vivait en Californie, elle était toujours bronzée, mais depuis qu'elle est à Nouville, où l'hiver n'en finit plus, son teint a pâli. Je vous ai dit que j'aimais beaucoup les bonbons, les croustilles et le chocolat. Eh bien, Diane est maniaque des aliments santé. Elle ne mange que des fruits, des légumes, du tofu et du riz. Pas de viande rouge ni de sucreries. Moi, je pense que je pourrais me passer de viande, mais les sucreries… je ne comprends pas comment elle fait.

Bon, si je vous parlais maintenant de ma meilleure amie, Sophie Ménard, la trésorière du CBS. Sophie (qui est enfant unique) habite Nouville, mais elle est Torontoise dans l'âme. C'est là qu'elle est née, et son père y vit encore.

Comme Diane, Sophie et sa mère se sont installées à Nouville après le divorce des Ménard. Mais Sophie me ressemble plus que Diane. Nous sommes sophistiquées et nous pensons toujours aux garçons, même si nous n'avons pas de petit ami. Et nous aimons la mode. Sophie a le droit de porter à peu près tout ce qu'elle veut et même d'avoir une permanente. Mais contrairement à moi, elle est bonne en mathématiques, et c'est pourquoi elle est devenue trésorière du Club. Elle enregistre l'argent que nous gagnons et recueille tous les lundis nos cotisations, qui servent à couvrir certaines dépenses, comme mon compte de téléphone, l'achat de nouveaux articles pour les trousses à surprises, etc.

Et une autre chose nous distingue : Sophie ne peut manger de sucreries, parce qu'elle a le diabète, ce qui fait que son corps ne peut pas transformer le sucre comme il le devrait. elle doit donc suivre une diète sévère et se donner des injections d'insuline. Ce n'est pas facile, mais Sophie s'en tire bien. Elle est très forte (en fait, chacune à notre façon, nous sommes toutes très fortes).

Les deux plus jeunes membres du Club sont nos membres juniors, Jessie et Marjorie. Cela veut dire qu'elles sont trop jeunes pour garder le soir, sauf s'il s'agit de leurs propres frères et sœurs, et ce n'est pas ça qui manque. Jessie a une petite sœur et un petit frère, et Marjorie a sept frères et sœurs. Elle est l'aînée d'une famille de huit enfants.

Marjorie et Jessie sont très amies. Cette dernière est arrivée à Nouville au début de l'année scolaire lorsque son père a changé d'emploi. (Marjorie a grandi à Nouville.) Jessie est une ballerine de talent, et Marjorie aime écrire et dessiner. Elle a l'intention de créer des livres pour enfants, quand elle sera plus vieille.

Jessie et Marjorie ne se ressemblent pas du tout. Jessie est noire. Elle a la peau couleur café et, à cause de ses cours de ballet, elle porte souvent les cheveux remontés ou tirés en arrière. Elle a de longues jambes de danseuse, et ses cils sont si longs qu'on dirait qu'elle porte du mascara, même si elle n'a pas le droit de se maquiller.

Marjorie a les cheveux roux et frisés et son visage est couvert de taches de rousseur. Et elle porte des lunettes et un appareil orthodontique. Son appareil est transparent et ne paraît pas beaucoup. Pourtant, Marjorie ne se trouve pas particulièrement jolie. Mais au moins, Jessie et elle ont eu la permission de se faire percer les oreilles. Marjorie voudrait bien avoir des verres de contact, mais ses parents veulent attendre qu'elle soit plus âgée.

Je crois que Jessie et Marjorie doivent souvent souhaiter d'être plus vieilles. Pour elles, onze ans est le pire âge. Elles se sentent grandes et voudraient être traitées en adultes, mais leurs parents les considèrent encore comme des petites filles, même si elles gardent. De toute façon, tout le monde a onze ans un jour ou l'autre. Et on y survit.

« Merci... merci... merci... » La réunion de ce lundi a commencé, et Sophie recueille nos cotisations. Elle est très polie, sachant qu'aucune d'entre nous n'aime se départir de son argent.

Lorsqu'elle a terminé et qu'elle a versé nos cotisations à la petite caisse du Club (une grande enveloppe brune), on n'entend plus un bruit dans ma chambre. Nous attendons que le téléphone sonne. Après un moment, je décide de raconter à mes amies mon après-midi chez les Robitaille.

— Et c'est pourquoi, dis-je en terminant, j'ai pensé que

nous pourrions mettre sur pied un projet, comme un spectacle musical, avec les enfants que nous gardons. J'entends ceux que cela intéresse.

— Génial ! s'exclame Jessie.

— Mais qu'est-ce que nous pourrions faire, exactement ? Nous les avons déjà aidés à monter des pièces de théâtre.

— Et aucune d'entre nous n'est vraiment musicienne, souligne Christine.

— Je ne crois pas que ce soit un problème, dit Marjorie. Nous pouvons aider les enfants à organiser un spectacle. Ce sera une nouvelle expérience pour eux. Et n'oublions pas que certains des enfants sont de très bons musiciens.

— Comme les petites Séguin, dis-je.

— Et comme Stéphane Robitaille, ajoute Anne-Marie. Il prend des leçons de piano. D'autres enfants aussi prennent des cours de musique, comme Martine Arnaud. De plus, nous pouvons les aider à fabriquer des instruments, comme des tambours avec des boîtes de céréales, ou des cloches et des tambourins.

Dring, dring !

— Et des téléphones ! lance Sophie en riant.

Elle reprend son sérieux et soulève le combiné.

— Bonjour, le Club des baby-sitters, dit-elle. Oui ? D'accord. Hum...

Elle ne semble pas parler à un de nos clients réguliers. C'est quelqu'un qu'elle ne connaît pas bien. Sophie prend quelques notes et explique à son interlocuteur qu'elle rappellera dans quelques minutes. En raccrochant, elle nous lance un grand sourire.

— De nouveaux clients ! annonce-t-elle. Ils ont vu un de nos dépliants.

— Super ! s'exclame Diane. Qui c'est ?

— La famille Lamarre. C'est madame Lamarre qui appelait. Ils ont trois enfants de huit, six et trois ans. Deux filles et un garçon, je crois. Elle ne sait pas grand-chose à notre sujet, à part ce qu'elle a lu dans le dépliant. Et des gens lui auraient dit que nous sommes fiables.

— Notre réputation grandit, fait Christine avec fierté.

— Elle a besoin d'une gardienne vendredi après-midi, poursuit Sophie en jetant un coup d'œil à Anne-Marie, qui consulte déjà l'agenda.

— Voyons... Marjorie, tu es libre, dit Anne-Marie en fronçant les sourcils. Toi aussi, Claudia, à moins que tu n'ailles à ce truc d'art dont tu as parlé la semaine dernière. Et moi aussi, je suis libre. Qui veut y aller ?

— J'ai dit à Vanessa que je l'amènerais à la librairie vendredi, répond Marjorie. (Vanessa a neuf ans et est la sœur de Marjorie. Un vrai rat de bibliothèque, comme Marjorie.)

— Et j'ai décidé d'aller à ce truc d'art, dis-je. C'est une exposition, dans une galerie d'art.

— Alors j'irai, conclut Anne-Marie en inscrivant son nom dans l'agenda.

Sophie rappelle madame Lamarre pour lui annoncer qui va venir vendredi. Puis, comme il est dix-huit heures, Christine prend la parole :

— Bon, on a terminé. C'était une belle réunion, les filles.

Nous nous levons. Christine retire le crayon placé sur son oreille et le glisse dans la poche arrière de son jean.

— On se voit demain à l'école ! lance Jessie à Marjorie en courant vers l'escalier.

— Je t'appelle ce soir ! dit Anne-Marie à Christine.

— Christine, ton frère t'attend dans l'auto ! crie Diane.

— Salut, Claudia, fait Sophie. Appelle-moi ce soir. On discutera.

Je souris à ma meilleure amie et la raccompagne jusqu'à la porte.

Vendredi

Aujourd'hui, j'ai rencontré les enfants Lamarre. Chloé a huit ans, Marc-André, six ans et Céleste, trois ans. On surnomme Marc-André « Marco ». J'adore leurs prénoms. Et j'adore ces enfants. Ils sont mignons, tous les trois. Ils ont l'air de poupées. Mais je m'éloigne du sujet.

Quand je suis arrivée chez les Lamarre, madame Lamarre m'attendait pour me faire faire le tour du propriétaire. Elle est très organisée, et les enfants semblent obéissants et serviables.

Pour Anne-Marie, le premier après-midi chez les Lamarre est facile, surtout si on tient compte du fait que ce sont de nouveaux clients. Quelquefois, les enfants ont de la difficulté à s'habituer à une nouvelle gardienne, mais les petits Lamarre ont été des amours, d'après Anne-Marie.

Dès 15 h 30, Anne-Marie sonne chez les Lamarre. Madame Lamarre vient lui répondre et, avant de lui dire bonjour, elle la toise de la tête aux pieds. Elle le fait très rapidement, mais Anne-Marie se sent un peu étrange, comme si on l'inspectait. De toute façon, madame Lamarre doit être satisfaite, parce qu'elle lui adresse un grand sourire et lui dit :

— Alors, c'est toi, Anne-Marie Lapierre ?

Elle ressemble à toutes les mères chez qui nous gardons.

— Oui, répond Anne-Marie. Du Club des baby-sitters, ajoute-t-elle d'un ton professionnel.

Anne-Marie lui montre sa trousse à surprises, comme pour prouver ce qu'elle vient de dire.

— Entre. Je m'appelle Denise Lamarre. Je suis heureuse que tu aies pu venir. Est-ce que je peux te poser quelques questions ?

— Mais oui.

— Très bien, dit madame Lamarre en se dirigeant vers la cuisine. Quel âge as-tu ?

— Treize ans.

— Et depuis combien de temps gardes-tu ?

— Depuis environ deux ans. Mais avant, j'allais aider des parents. Je me suis occupée d'enfants de tous les âges, même des bébés.

Madame Lamarre semble satisfaite. Elle montre à Anne-Marie la liste des numéros de téléphone en cas d'urgence, puis elle lance :

— Chloé ! Marc-André ! Céleste ! Venez !

Quelques secondes plus tard, les trois enfants entrent en trombe dans la cuisine et se mettent en rang. Anne-Marie les regarde un à un et c'est alors qu'elle trouve qu'ils ont l'air de poupées. Ils ne disent pas un mot et ne sourient pas, mais ils examinent eux aussi Anne-Marie de leurs yeux bleu clair. Tous les trois ont les cheveux blonds et le teint pâle. Chloé et Marc-André portent l'uniforme d'une école privée, suppose Anne-Marie. Chloé a une jupe écossaise bleue, un blazer, une blouse blanche, des collants blancs et des chaussures rouges. Marc-André porte un pantalon bien repassé, un blazer et des chaussures brunes. Céleste, elle, a une grosse boucle dans ses cheveux et porte une tunique rose par-dessus une blouse blanche.

— Merci, les enfants, dit madame Lamarre au bout d'un moment. Vous pouvez disposer.

Elle se tourne alors vers Anne-Marie.

— Je ne serai absente qu'une heure et demie environ, aujourd'hui.

Puis elle donne à Anne-Marie une courte liste d'instructions et s'en va. Céleste pleurniche un peu et se calme.

— Qu'est-ce que vous avez envie de faire, les enfants ? demande Anne-Marie tout en consolant Céleste, qui est assise sur ses genoux.

Chloé réfléchit.

— Parle-nous de ta famille.

— De ma famille ? s'étonne Anne-Marie.

— Oui. As-tu un animal ?

— Ah ! fait Anne-Marie en souriant. (Elle aime les enfants curieux.) J'ai un chat. Il s'appelle Tigrou.

— De quelle couleur il est ? demande Marco.

— C'est un chat ou une chatte ? demande Chloé.

— C'est un chat gris tigré.

— Est-ce qu'il parle ? dit Céleste en levant vers Anne-Marie son petit visage sillonné de larmes.

— Il miaule, tu veux dire.

— Est-ce que tu fais semblant qu'il parle ? insiste Céleste.

— Des fois.

— Est-ce que tu as des frères et des sœurs ? demande Chloé. Moi, j'ai de la chance ! J'ai un frère et une sœur.

— Moi aussi, répond Anne-Marie. Mais c'est plutôt un demi-frère et une demi-sœur. Ma demi-sœur est aussi ma meilleure amie, et elle a le même âge que moi.

— Ah ? Qu'est-ce que c'est, une demi-sœur ? demande Marco. Elle n'est pas finie ?

Anne-Marie essaie de le lui expliquer et, lorsqu'elle a terminé, elle ajoute :

— Diane garde des enfants, tout comme moi. Nous faisons toutes les deux partie d'un club de gardiennes.

Chloé veut évidemment tout savoir sur le Club. Anne-Marie lui parle d'abord de Marjorie.

— Quoi ? Elle a sept frères et sœurs ? Ils doivent être des pauvres.

— Pauvres ? demande Anne-Marie en haussant les sourcils.

— Tu es pauvre, toi ? l'interrompt Marc-André.

— Eh bien... non, pas plus que la famille de Marjorie.

— Parle-moi encore de ton chat, demande Céleste. Est-ce que tu lui fais des petits habits ?

Une question n'attend pas l'autre ! C'est la première fois qu'Anne-Marie rencontre des enfants comme les Lamarre. Même Karen (la demi-sœur de Christine), qui jacasse sans arrêt, n'en pose pas autant. C'est peut-être parce qu'elle parle plus qu'elle n'écoute !

Anne-Marie explique à Céleste que Tigrou se contente de porter sa fourrure, puis elle fait changer de vêtements aux enfants et les amène jouer dehors. Ils jouent à la mère, aux devinettes, aux statues et à cache-cache.

À la fin, Céleste se couche sur la pelouse et dit :

— Je suis fatiguée.

— Alors, rentrons ! propose Anne-Marie. Chloé, as-tu des devoirs à faire ?

— Jamais le vendredi !

— Et toi, Marco ?

— Pas en première année !

— Est-ce qu'on peut regarder la télé ? demande Chloé. On a toujours le droit, à cette heure-ci.

— Bien sûr, répond Anne-Marie en faisant entrer les enfants.

Tous s'installent dans la salle de séjour, mais aucune émission ne leur plaît. Chloé passe d'un canal à l'autre.

Céleste commence à s'ennuyer. Anne-Marie lui propose de dessiner, et Céleste veut faire le portrait de Tigrou.

— Bonne idée, dit Anne-Marie. Commence.

Pendant que Céleste dessine des yeux violets et une énorme tête à Tigrou, Anne-Marie entend Chloé et Marc-André rire comme des fous.

— Avez-vous trouvé une émission à votre goût ? demande-t-elle.

Anne-Marie jette un coup d'œil à la télé et ne voit qu'une fille et un garçon d'origine asiatique en train de faire du vélo. Elle se demande ce qu'il y a de si drôle là-dedans.

Puis elle entend Marco crier :

— Regarde leurs yeux !

Et les enfants rient de plus belle.

Anne-Marie regarde de nouveau le petit écran, mais c'est toujours la même scène. « Ils rient pour rien », se dit-elle.

— Bonjour ! fait soudain une voix par la porte d'en arrière.

— Maman ! crie Céleste en laissant de côté son dessin.

Elle se précipite vers sa mère et lui entoure les genoux de ses bras. Cinq minutes plus tard, Anne-Marie quitte le domicile des Lamarre pour filer à la réunion du CBS, chez moi. Elle arrive en nage, et plus tôt que prévu.

Tout comme Christine, d'ailleurs. Nous nous écrasons sur mon lit pour bavarder un peu, comme nous le faisions quand nous étions petites.

— Devinez quoi ! J'ai eu une idée formidable ! dis-je.

— Hé ! c'est mon domaine, les idées formidables, lance Christine en riant.

— Ça m'arrive à moi aussi, figure-toi ! J'ai pensé que Jérôme et ses frères pourraient monter un spectacle de musique ou quelque chose du genre et qu'on devrait aider les enfants à former un orchestre. Ceux qui suivent des cours de musique joueraient de leur propre instrument, et les autres pourraient en fabriquer un à leur goût, comme tu l'as suggéré, Anne-Marie.

— C'est super ! dit Christine.

Après le début de la réunion, elle me demande de soumettre mon idée aux autres membres. Elles sont toutes d'accord.

— Parfait ! dit Christine. Rien de mieux qu'un nouveau projet.

— J'ai deux yeux, tant mieux, deux oreilles, c'est pareil...

Laurence Mainville, qui a deux ans, rit aux éclats quand je lui touche le bout du nez.

Laurence est toute petite et elle adore ce jeu. Mais son frère Jonathan, qui a quatre ans, veut faire des choses de « grands ».

— On va jouer à cache-cache ! crie-t-il en sautillant. On va jouer aux petites autos ! On va jouer dehors ! On va se balancer !

— Du calme, Jonathan, dis-je. Tu m'épuises avant de commencer. Veux-tu inviter un ami ?

— J'ai un ami, il s'appelle Boris et il vit sous l'escalier, explique Jonathan. Veux-tu le rencontrer ?

— Je parlais d'un vrai ami.

— Mais Boris existe pour vrai !

— Je veux dire un ami qu'on peut voir, pas un ami invisible.

— Eh bien...

— Diane garde chez les petites Séguin. Veux-tu inviter Myriam ? Et peut-être aussi Gabrielle ?

— D'accord, répond Jonathan, mais pas Laura. C'est un bébé.

Mais comme Diane va venir elle aussi, elle amènera forcément les trois filles. La famille Séguin habite l'ancienne maison de Christine, en face de chez moi. Myriam a cinq ans et demi, Gabrielle, deux ans et demi, et Laura est le bébé. Jonathan est devenu ami avec Myriam et Gabrielle, qui sont des petites filles très amusantes. Elles aiment chanter, danser et monter des petits spectacles. Et Myriam prend des cours de claquettes, de théâtre, de chant. Elle et Gabrielle connaissent une foule de chansons. Quand Laura sera plus grande, elle se joindra sûrement à ses sœurs dans leurs représentations. En attendant, elle se contente d'assister à leurs jeux en souriant et en babillant. (Parfois, quand je regarde Laurence et Laura, qui ont presque le même âge, je me demande si elles vont grandir ensemble et devenir amies, comme Anne-Marie et Christine.)

Lorsque la sonnette de la porte d'entrée retentit, Jonathan accueille ses invitées en disant :

— Bonjour, bonjour !

— Bonjour, bonjour ! répondent Diane, Myriam et Gabrielle.

— Bonjour, bonjour ! dis-je à Diane en riant.

Au moment où nous nous apprêtons à amener les cinq enfants dans la cour, le téléphone sonne et je me précipite pour répondre.

— Oui allô ! Résidence des Mainville.

— Salut, Claudia ! C'est moi.

— Ah ! Salut, Sophie ! Comment va ?

— Il fait tellement beau que même Charlotte veut jouer dehors.

— Sans blague ?

Sophie garde dans une autre maison du quartier, chez Charlotte Jasmin, qui a huit ans. Charlotte est une enfant merveilleuse, et nous l'aimons toutes. Elle est tranquille et sensible (un peu comme Anne-Marie) et très intelligente. Elle a même sauté une année, à l'école. Charlotte aime surtout lire et étudier. Elle a quand même des amis. Sa meilleure amie est Becca Raymond, la petite sœur de Jessie. De toute façon, c'est un peu inusité que Charlotte veuille aller jouer dehors.

— Viens nous rejoindre, dis-je. Diane vient d'arriver avec Myriam, Gabrielle et Laura. Charlotte aimera peut-être jouer avec les enfants.

— D'accord, et merci ! Nous amènerons le chien.

C'est un chien un peu gros qui a besoin d'exercice. Au moment où je raccroche, le téléphone sonne de nouveau.

— Oui allô ! Résidence des Mainville.

— Bonjour, Claudia !

— Anne-Marie ?

— Oui, je garde Matthieu et Jacques, chez les Hobart.

Les Hobart ont quatre fils. Et ils habitent l'ancienne maison d'Anne-Marie ! Aujourd'hui, Anne-Marie s'occupe des deux plus jeunes (Matthieu a six ans et Jacques, quatre ans). L'aîné, Benoît, a été le tout premier petit ami de Marjorie.

— Qu'est-ce que tu fais de bon ? demande Anne-Marie.

— Diane est ici avec les filles Séguin, et Sophie s'en vient avec Charlotte et son chien Carotte.

— Zut ! Jacques voulait inviter Jonathan.

— Tu n'as qu'à amener les garçons ici. Plus on est de fous, plus on rit.

— Super ! On arrive !

En moins de temps qu'il n'en faut pour le dire, la cour est remplie d'enfants (plus un chien) : Jonathan, Laurence, Myriam, Gabrielle, Laura, Charlotte, Matthieu et Jacques (et Carotte, bien sûr). Mes amies et moi les surveillons pendant un moment. Puis j'ai une idée :

— Hé ! savez-vous ce qu'on a ici ?

— Un zoo, déclare Sophie.

— Non, un groupe de musique. Ou du moins un embryon de groupe. Laurence et Laura sont trop petites, évidemment, et je ne sais pas si Charlotte veut faire partie d'un groupe, mais il reste les cinq autres.

— Oui ! s'écrie Diane. Demandons-leur ce qu'ils en pensent. Venez ici ! lance-t-elle aux enfants qui se balancent.

— Quoi ? répond Jonathan.

— Venez ici !

— Qui, moi ?

— Tout le monde ! Nous avons quelque chose à vous proposer.

Lorsque tous les enfants sont rassemblés autour de nous, mes amies se tournent vers moi.

— Hum ! fais-je pour m'éclaircir la voix. Aimeriez-vous faire partie d'un groupe de musiciens ?

— Quel groupe ? demande Myriam.

— Le vôtre, enfin je veux dire le nôtre. Nous allons fonder notre propre orchestre.

— Qu'est-ce que c'est, un orchestre ? demande Gabrielle.

— Eh bien, c'est un groupe de personnes qui jouent ensemble des pièces de musique avec des instruments.

— Est-ce que vous allez nous montrer à jouer ? demande Jonathan.

— Oui, répond Sophie. Mais certains d'entre vous savent déjà jouer d'un instrument.

— Je joue du violon, dit Matthieu avec fierté.

— Je joue de la guitare, ajoute timidement Charlotte.

— Ah ! oui ? Je ne savais pas, dit Sophie.

— Je viens de commencer mes cours. Je voulais attendre d'être assez bonne avant de l'annoncer.

— Tu veux dire que tu veux faire partie du groupe ? demande Anne-Marie d'un air incrédule.

— Je crois que oui, murmure Charlotte en souriant.

— Il faudrait peut-être des chanteuses, propose Myriam. Gabrielle et moi, on chante très bien.

— Je veux jouer de la batterie, dit Jacques Hobart, mais je n'en ai pas. Mes parents ont loué un violon pour Matthieu, mais je n'ai pas de batterie.

— Alors on en fabriquera une, dit Anne-Marie. C'est facile.

Les enfants commencent à être tout excités.

— Qu'est-ce que je pourrais faire ? demande Jonathan.

— Il nous faudra plus d'instruments, suggère Charlotte.

— Et si on demandait à d'autres de se joindre à nous ? dis-je.

— Becca ! s'exclame Charlotte. Si je fais partie du groupe, elle doit faire partie du groupe.

— Les enfants Picard ? propose Sophie.

— Oui ! Nous allons les inviter.

— Aujourd'hui ? demande Anne-Marie.

— Pourquoi pas ?

Vingt minutes plus tard, la cour a l'air d'un poulailler. Nous étions douze et, depuis Jessie est arrivée avec Becca, et Marjorie, avec Nicolas, Margot et Claire, les trois plus jeunes de la famille Picard (Nicolas a huit ans, Margot, sept ans, et Claire, cinq ans).

J'explique notre projet à nos quatre nouveaux membres. Des exclamations ne tardent pas à fuser:

— Je veux jouer du tambourin !

— Je veux jouer de l'harmonica !

— Je veux faire plein de bruits !

Ça, c'est Nicolas.

— Est-ce que quelqu'un a un tuba? demande Claire, qui n'a jamais joué de tuba.

— Tu ne sais même pas ce que c'est, un tuba, lui lance Margot d'un petit air suffisant.

Anne-Marie, notre secrétaire dévouée, trouve un crayon et un bloc-notes dans la cuisine des Mainville. Elle revient dans la cour et commence à prendre des notes: qui veut chanter, qui veut jouer d'un instrument, qui a besoin d'un instrument, etc.

— On pourrait appeler Christine et lui expliquer ce qu'on prépare, suggère Diane.

— On devrait aussi appeler les Robitaille, dis-je. Après tout, c'est eux qui m'ont donné l'idée de former un groupe.

— Il faudrait peut-être appeler beaucoup d'autres enfants, ajoute Sophie. On ne peut pas en laisser de côté.

Anne-Marie prend une autre feuille et inscrit: ENFANTS À APPELER. Nous ajoutons les petits frères et sœurs de Christine, les Barrette, les jumeaux Arnaud, Jeanne Prieur, Nina Masson et les Biron. Je profite d'un moment de calme pour demander:

— Personne d'autre ?

— Peut-être les enfants Papadakis, dit Diane.

— Et les Lamarre ? ajoute Anne-Marie. Comme ce sont de nouveaux clients du CBS, ce serait gentil de les inviter. Je les aime beaucoup, et ils sont obéissants. Ils seront capables de suivre nos directives.

— Bonne idée, dis-je en souriant. Je vais garder chez eux demain, et je leur demanderai.

Anne-Marie griffonne avec frénésie sur son bloc-notes.

Madame Lamarre m'a demandé d'arriver à 15 h 30 le lendemain. Je ne veux pas être en retard, alors je cours chez les Lamarre dès la fin de l'école, sans passer par la maison. C'est ainsi que je me retrouve chez mes nouveaux clients à 15 h 19 exactement. « Bien, me dis-je. C'est toujours une bonne chose d'arriver en avance la première fois. »

J'appuie sur le bouton de la sonnette. Lorsque la porte s'ouvre, je lance un franc « bonjour » avec mon plus beau sourire.

La femme qui est devant moi a l'air sérieux et semble quelque peu hésitante.

— Bonjour, dit-elle après un moment. Je suis madame Lamarre. Tu es Claudia ?

J'allais répondre « Oui, madame », mais son accueil m'a rendue mal à l'aise et je fais seulement un signe de têtc.

— Entre donc.

Elle s'éloigne déjà dans le couloir, me laissant refermer la porte. Je la suis vers la cuisine tout en essayant de trouver quelque chose à dire. Je finis par articuler :

— Anne-Marie a beaucoup aimé Chloé, Marco et Céleste. Est-ce qu'ils sont ici ?

— Chloé et Marco ne sont pas encore revenus de l'école, et Céleste fait la sieste, me répond madame Lamarre sans même me regarder.

Soudain, je crois savoir ce qui ne va pas. J'ai mangé des arachides en me rendant chez les Lamarre. Je suppose que des petits morceaux sont restés coincés entre mes dents, et madame Lamarre est sans doute gênée pour moi. Alors je passe ma langue sur mes dents, mais je ne sens rien. Hum... Mon mascara a peut-être coulé. Ou mes cheveux sont défaits. Ou je suis peut-être simplement arrivée trop tôt.

— Claudia ! Tu m'écoutes ? lance sèchement madame Lamarre.

— Oui, madame.

En fait, je ne l'écoutais pas.

— Notre voisin d'à côté est monsieur Sirois, poursuit-elle. Il est généralement chez lui le jour. Tu peux l'appeler en cas d'urgence.

— Il travaille chez lui ?

« C'est peut-être un artiste ! » me dis-je.

— Qu'est-ce que ça peut te faire ? tranche-t-elle.

Là, je deviens rouge comme une pivoine et je baisse les yeux. Mon regard se porte alors sur mon collant noir, mes chaussures de sport à la dernière mode, ma veste de jean à l'amérindienne, avec des franges et des perles, mes six bagues en argent et...

Oh ! oh ! J'y suis. Madame Lamarre n'approuve pas ma toilette. Elle doit me trouver excentrique. C'est sûrement ça. Anne-Marie avait décrit les vêtements des enfants

Lamarre dans le journal de bord, en précisant qu'ils étaient très bien habillés, surtout Chloé et Marco, avec leur uniforme. Anne-Marie devait également être vêtue sobrement lorsqu'elle est venue garder ici. Son père y veille toujours. Pas étonnant que madame Lamarre ne m'aime pas. Et pas étonnant qu'elle ait aimé Anne-Marie.

Madame Lamarre est en train de me donner ses dernières instructions lorsque la porte s'ouvre brusquement et qu'une fille et un garçon font irruption dans la cuisine.

— Bonjour, maman ! crie la petite fille.

— Bonjour, maman ! crie le petit garçon.

Le visage de madame Lamarre s'adoucit en un tendre sourire.

— Bonjour, les enfants ! Ça a bien été, à l'école ? Venez prendre une collation.

— Mais maman, c'est qui, ça ? demande la petite fille en me pointant du doigt.

— Chloé, Marco, c'est votre gardienne, et elle s'appelle Claudia Kishi, répond madame Lamarre.

Après un silence, elle ajoute :

— Soyez gentils avec elle.

Je m'efforce de sourire.

— Bonjour, Chloé, et bonjour, Marco.

Marco ne dit rien, mais Chloé met sa main sur sa bouche et étouffe un petit rire. J'espère que c'est bon signe.

— Eh bien, dit madame Lamarre, je dois partir.

Mais elle ne s'en va pas. On dirait qu'elle ne veut pas quitter la pièce.

— Ne vous inquiétez pas pour Céleste, dis-je. Je saurai m'en occuper lorsqu'elle se réveillera et se trouvera devant une gardienne qu'elle ne connaît pas.

— Non, ce n'est pas ça, dit madame Lamarre d'un ton évasif.

Alors, qu'est-ce qu'il peut bien y avoir?...

Je ne réussis pas à trouver. Madame Lamarre finit par s'en aller. Ouf! Je n'aurai plus qu'à la revoir quelques minutes à la fin de l'après-midi. Entre-temps, je vais pouvoir m'amuser avec les trois enfants obéissants, curieux et bien élevés qu'Anne-Marie a trouvés si gentils.

Eh non!

L'après-midi commence mal. Chloé et Marco mangent quatre biscuits chacun et vont s'en chercher d'autres.

— Attendez! Ça suffit!

— On a faim, dit Chloé en prenant une poignée de biscuits avant même que je puisse ranger le paquet.

Elle et son frère mangent avec appétit, puis se lèvent et sortent de la cuisine en laissant la table couverte de miettes. Je commence à nettoyer lorsque je les entends crier à travers la maison.

— Baissez le ton! leur dis-je.

Ils continuent à crier jusqu'à ce que j'entende des pleurs.

— Qui s'est fait mal?

— Personne, répond Marco. Céleste est réveillée.

Pas étonnant, avec tout ce bruit. Je monte à l'étage.

— Chloé, Marco, dis-je, voudriez-vous nettoyer la table de la cuisine pendant que je m'occupe de Céleste?

Les enfants filent au rez-de-chaussée et reviennent rapidement.

— Il faut qu'on voie Céleste, annonce Chloé. On doit lui parler de sa nouvelle gardienne.

C'est peut-être une bonne idée. Céleste n'a pas cessé de pleurer. Elle est probablement étonnée de me voir. Son frère et sa sœur seront capables de la calmer. Je les laisse tous les trois dans la chambre de Céleste et je descends. Après plusieurs minutes, les pleurs se sont arrêtés. Je n'entends plus que des murmures.

— Tout va bien, là-haut ?

— Oui ! répond une voix, probablement celle de Chloé.

— Alors j'arrive !

Quand je reviens dans la chambre de Céleste, elle me regarde, son frère et sa sœur à ses côtés. Et elle me fixe jusqu'à ce que Marco lui donne un coup de coude.

— Céleste, veux-tu une collation ? dis-je.

Elle fait signe que oui, et Marco crie :

— Moi aussi !

— Mais tu as eu la tienne.

— J'en veux une autre, dit-il.

— Et moi aussi, ajoute Chloé.

— Pas question !

— Je vais dire à maman que tu es une méchante gardienne, dit Chloé en plissant les yeux.

Je reste plantée devant eux en me demandant quoi faire. Puis je me rappelle la stratégie de Sophie. Elle appelle ça de la « psychologie inversée » et elle en avait fait l'essai avec deux enfants (des terreurs) qui habitaient en face de chez Christine. Je pense qu'il s'agit de demander aux enfants de faire exactement l'inverse de ce qu'on veut.

— D'accord, dis-je. Vous n'avez peut-être pas assez mangé. Essayez donc de terminer le paquet de biscuits.

— Tout le paquet ? s'exclame Chloé.

— Vraiment ? s'écrie Marco.

Oh ! oh ! Ce n'est pas comme ça que ça aurait dû marcher. J'imagine la suite : les enfants vont s'empiffrer à s'en rendre malades avant le retour de leur mère. C'est du joli !

— Hum...

Dring dring !

— Le téléphone ! Je réponds, crie Chloé en sortant précipitamment de la chambre de Céleste.

Quelques instants plus tard, elle m'appelle :

— Claudia, c'est pour toi.

Chloé me tend le combiné. C'est sûrement madame Lamarre qui veut vérifier si tout va bien. Mais non, c'est Anne-Marie.

— Je suis chez les Hobart, et on est très nombreux. On organise l'orchestre. Est-ce que les Lamarre veulent venir ?

— Oh ! j'ai oublié de leur en parler ! Je vais les amener pour qu'ils voient ce qu'on prépare. J'arrive dans quelques minutes.

Les enfants oublient les biscuits lorsque je leur annonce que nous sortons pour rencontrer d'autres enfants et qu'ils vont revoir Anne-Marie. Nous arrivons chez les Hobart en même temps que Myriam et Gabrielle, qui sortent de la maison voisine. Dans la cour, il y a Jonathan Mainville ; Marjorie avec Nicolas, Margot et Claire ; Christine avec David, Karen et André ; Sophie avec Charlotte (et le chien) ; Diane avec les frères Robitaille, et enfin Anne-Marie avec Jeanne Prieur. D'autres enfants du quartier sont là aussi. Tous ont l'air de bien s'amuser.

— J'ai apporté mon mirliton, annonce Jérôme.

— J'ai trouvé deux tambours dans notre sous-sol, dit Hélène Biron. Mathieu peut en jouer parce qu'il peut percevoir le rythme.

Mathieu, le frère d'Hélène, est sourd profond.

Céleste, qui a aperçu Anne-Marie, court vers elle et s'accroche à ses mains (pourquoi n'a-t-elle pas agi ainsi avec moi ?), mais Marco et Chloé se joignent à la joyeuse bande d'enfants qui sont en train d'organiser le groupe et de décider quelles pièces musicales ils vont apprendre. Ils s'amusent tellement que, lorsque le temps est venu de partir, ça me fait de la peine de rompre le charme.

— Je ne veux pas m'en aller ! crie Marco.

— Peut-être que Claudia nous permettra de manger des biscuits en arrivant, lance Chloé en me jetant un regard. Nous n'avons pas pris notre deuxième collation.

— Plus de biscuits ! dis-je. Ça va bientôt être l'heure du souper.

— Mais on a faim ! se plaint Marco.

— Parfait ! Vous aurez meilleur appétit au souper.

Je réussis à arracher Céleste à Anne-Marie et je ramène les trois enfants chez eux. Tout le long du trajet, ils ne cessent pas de gémir et de grogner.

— Tu avais promis qu'on mangerait des biscuits, dit Chloé.

— Il était alors seize heures. Maintenant, c'est trop tard.

De retour chez les Lamarre, nous nous installons dans la salle de jeu. Les enfants n'arrêtent cependant pas d'aller et venir chacun leur tour. Je découvre leur stratagème : ils vont à la cuisine manger des raisins.

— J'ai dit qu'il n'y avait plus de collation !

— Non, réplique Marco. Tu as dit : « plus de biscuits ».

Je pousse un long soupir. Pourvu que madame Lamarre revienne au plus tôt !

— Quelqu'un a faim ?

Je propose du chocolat et des croustilles à mes amies.

— As-tu des biscuits aux germes de blé ? demande Diane.

— Oh !... mais oui ! Excuse-moi. Je les ai cachés quelque part avec ma réserve inépuisable de tofu.

Diane éclate de rire.

— Des craquelins au blé entier, ça te va ?

Diane ouvre grand les yeux.

— Oui ! s'exclame-t-elle.

— Moi aussi... commence Sophie. Oh ! mais c'est sûrement une blague ! Pendant une minute, j'ai cru que...

— Je vous jure, dis-je en l'interrompant, j'en ai acheté juste pour vous.

Je réussis à trouver la boîte de craquelins sous une pile de vêtements propres.

— Et voilà ! Servez-vous.

Il est 17 h 25, et une nouvelle réunion du CBS va commencer. Nous sommes confortablement installées à nos places habituelles. Christine est assise dans mon fauteuil,

Anne-Marie, Sophie et moi sommes côte à côte sur mon lit, Diane est assise à califourchon sur ma chaise de travail, et Jessie et Marjorie sont installées par terre.

— À l'ordre ! dit Christine lorsque toutes les filles se sont servies.

Au même moment, le téléphone sonne.

— Je le prends, dit Marjorie. Oui allô, le Club des baby-sitters, Marjorie Picard à l'appareil... Bonjour, madame Lamarre... Christine ? Oui, un instant s'il vous plaît.

Elle pose sa main sur le combiné et se tourne vers Christine :

— Madame Lamarre veut te parler.

— D'accord, fait Christine en fronçant les sourcils, car selon la règle du Club, les clients ne sont pas censés demander une gardienne en particulier.

— Elle appelle peut-être pour autre chose, chuchote Jessie.

— Probablement, dis-je.

Mais la fin de la conversation de Christine concerne sans nul doute le travail.

— À quatorze heures ? dit-elle. Mais... eh bien, d'accord. Est-ce que... quelque chose est arrivé ? Pourquoi ne voulez-vous pas...

Je regarde Christine. Elle a les yeux baissés, comme si elle examinait ses chaussures. Je jette un coup d'œil à mes autres amies. Elles s'échangent des regards étonnés.

Finalement, Christine dit :

— Je vous rappelle tout de suite.

— Qu'est-ce qui se passe ? dis-je lorsqu'elle a terminé.

— Je vous expliquerai ça dans un instant, répond Christine. Qui est libre mercredi après-midi, Anne-Marie ?

— Mercredi ? Attends... Il n'y a que Jessie.

— Veux-tu aller garder chez les Lamarre, Jessie ? demande Christine.

— Bien sûr ! Pourquoi pas ?

Christine rappelle madame Lamarre, puis se tourne vers nous, l'air sérieux.

— Il faut que je vous dise que madame Lamarre a demandé une gardienne, mais elle a précisé qu'elle ne voulait pas Claudia.

— Quoi ? dis-je en m'étouffant presque.

— Je ne comprends pas, poursuit Christine, mais c'est ce qu'elle a dit. Est-ce qu'il est arrivé quelque chose quand tu as gardé, Claudia ? Si c'est le cas, tu aurais dû m'en parler.

— Il n'est rien arrivé. Ce n'est pas la garde la plus agréable de ma carrière, mais rien de grave ne s'est produit. Personne ne s'est blessé, rien n'a été brisé.

— Est-ce qu'un des petits Lamarre est un désastre ambulant comme Jérôme Robitaille ? s'informe Jessie, l'air inquiet.

Elle commence à se demander si elle aurait dû accepter cette garde.

— Non, pas du tout ! Il n'est rien arrivé d'épouvantable comme quand on garde Jérôme. Tu sais, les vases brisés, le jus de raisin sur le tapis, les écorchures, les ecchymoses. Les Lamarre sont des anges, par rapport à Jérôme.

Je me sens étrange. Et je suis choquée d'avoir à me défendre alors que rien n'est arrivé.

— Les Lamarre sont des enfants modèles, non ? demande Anne-Marie.

J'attends un peu avant de répondre.

— En fait, ça n'a pas été aussi facile avec moi qu'avec toi, dis-je.

— Une minute, Claudia ! intervient Christine. Est-ce que les Lamarre sont gentils ou non ? S'est-il passé quelque chose quand tu es allée garder chez eux ?

— Eh bien, rien, ou plutôt un petit incident.

Christine n'a pas l'air contente, alors je poursuis sans attendre.

— D'accord. Disons que ça n'a pas très bien été entre les enfants et moi. Vous vous souvenez des deux terreurs ? Alors c'est à eux que Chloé et Marco m'ont fait penser.

— Tu sais, ils leur ressemblent un peu, physiquement, ajoute Anne-Marie.

— Non, ils se sont comportés comme eux. Ils ont refusé de m'obéir. Ils se sont empiffrés avant le souper. Quand j'ai établi des limites, ils m'ont dit qu'ils avertiraient leur mère que j'étais méchante, ou quelque chose comme ça.

— Tu aurais dû m'en informer, dit Christine.

— Je l'ai indiqué dans le journal de bord. De toute façon, il n'est rien arrivé de grave. Pas de lampes brisées, pas de taches de jus de raisin, pas même un genou écorché.

— Les enfants ont été parfaits quand je les ai gardés, dit Anne-Marie en fronçant les sourcils. Ils ont accepté toutes mes suggestions. Et lorsque madame Lamarre est rentrée, elle était toute souriante, elle m'a complimentée sur mon travail et n'arrêtait pas de dire combien les enfants avaient l'air heureux.

— Qu'est-ce que j'ai fait de mal ? Peut-être que les enfants se sont vraiment coupé l'appétit quand ils ont pris une deuxième collation en cachette.

— Qu'est-ce qu'ils ont mangé ? demande Sophie.

— Du raisin.

— Quoi ? Du raisin ? Tu veux dire quelques grappes ?

— Non, quelques grains chacun. J'ai vérifié dans le bol à fruits.

— Il n'y avait pas de quoi se couper l'appétit, ajoute Diane. Je pensais que tu voulais dire qu'ils avaient englouti une tonne de biscuits.

— Non. Peut-être n'ont-ils pas un très grand appétit. Ou peut-être que le problème est tout à fait différent. Ils ont peut-être dit à leur mère qu'ils n'avaient pas aimé leur après-midi chez les Hobart.

— Mais non ! Ils se sont amusés comme des petits fous ! dit Anne-Marie. Je les ai vus.

— Alors peut-être que madame Lamarre n'a pas aimé que je les amène jouer chez quelqu'un d'autre. Pourtant, elle ne m'avait pas interdit de quitter la cour.

— Et les Hobart habitent tout près, ajoute Jessie.

— Elle n'aime peut-être pas les Hobart, dis-je.

— Je ne pense pas que les enfants Lamarre aient déjà rencontré les Hobart auparavant, précise Marjorie. Je crois qu'ils ne connaissent aucun des enfants de cette famille.

— Je l'ai ! dis-je d'un air triomphant. Madame Lamarre n'a pas aimé mes vêtements. J'avais oublié ça, mais je sais fort bien qu'elle m'a examinée de la tête aux pieds et elle a dû se dire que j'avais l'air trop excentrique, surtout quand on pense à la façon dont Chloé, Marco et Céleste sont habillés.

— Mais pourquoi ne te l'a-t-elle pas fait remarquer ? demande Diane.

Je hausse les épaules.

— C'est vrai que je suis arrivée un peu tôt, dis-je après un moment.

— Ce n'est pas une raison pour demander que tu ne retournes plus garder, souligne Christine.

Au même moment, un client téléphone pour demander une gardienne. Et plusieurs autres appels suivent. Nous n'avons pas l'occasion de reparler des Lamarre avant la fin de la réunion.

— Je tiens à vous faire remarquer, dis-je alors, qu'elle est la seule cliente qui ne veut pas de moi comme gardienne. Mettez-vous bien ça dans la tête.

— Je suis désolée d'avoir eu l'air de t'accuser, dit Christine en souriant, mais madame Lamarre a été tellement claire sur ce point, Claudia. La seule explication logique était qu'un incident soit survenu. Je devrais peut-être l'appeler ce soir, même si ce n'est pas dans mes habitudes. De toute façon, elle veut continuer à utiliser nos services.

— Je découvrirai peut-être la clé de l'énigme mercredi, fait Jessie.

— Habille-toi simplement, Jessie, lui dis-je. Et ne sors pas avec les enfants.

— Entendu, convient Jessie d'un air solennel. Et je te promets qu'ils ne mangeront pas de raisins, ajoute-t-elle en souriant.

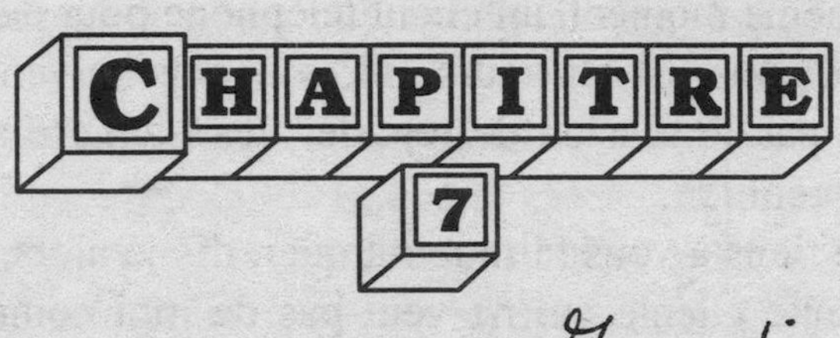

Mercredi

Je ne vois pas vraiment pourquoi je devrais écrire au sujet de ma « garde » chez les Lamarre, puisque je n'ai pas gardé du tout. Mais je dois respecter la règle... Voici donc ce qui s'est passé : absolument RIEN. Je ne suis même pas entrée dans la maison. Là, ça vous satisfait, comme rapport ?

Un peu plus tard...

Désolée les filles. Ne pensez pas que je sois en colère contre vous. C'est sans doute contre madame Lamarre que j'en ai, même si je ne sais pas pourquoi.

Après cette étrange réunion du Club, au cours de laquelle madame Lamarre a téléphoné pour demander une autre gardienne que moi, Jessie décide de se préparer mieux que d'habitude avant d'aller garder. Elle veut que tout se passe à la perfection et que madame Lamarre n'ait rien à lui reprocher.

Jessie se prépare soigneusement. Après la réunion, elle court chez elle et, après le souper, elle ouvre sa trousse à surprises pour en faire l'inventaire.

— Hum... je manque de crayons, murmure-t-elle. Et il n'y a pas assez de livres pour les petits. Il faut que j'en trouve que Céleste aimera.

Jessie retire quelques articles de la trousse (pour pouvoir ajouter des livres) et fouille dans les rayons de la bibliothèque de la salle de jeu. Elle choisit des contes de fées et des bandes dessinées.

« Maintenant, se dit-elle, est-ce que j'ai assez de jouets pour les garçons de six ans ? » La trousse contient des crayons-feutres et d'autres articles de bricolage (qui conviennent aux garçons et filles de tous les âges), des casse-tête faciles et une panoplie de petites voitures et camions.

« Bon. Voyons ce qu'il y a pour les filles de huit ans », songe-t-elle en montant l'escalier pour aller trouver sa sœur.

— Becca ?

— Oui, répond celle-ci.

Elle est assise à son bureau et écrit.

— Qu'est-ce que tu fais ? demande Jessie.

— Mon devoir, répond-elle sombrement. Il faut écrire une histoire de deux pages qui s'intitule « Le Fantôme dans ma chambre ».

— Mais ça a l'air amusant ! s'exclame Jessie. Écoute, Becca, il faut que je mette dans ma trousse à surprises des choses qui plairont à une fille de huit ans. As-tu des idées ?

— Des Barbies, dit Becca sans même lever les yeux de sa feuille. Et des autocollants. Oh ! j'oubliais : Charlotte et moi, nous aimons jouer aux secrétaires !

— Parfait ! Merci Becca !

Quelle bonne idée ! Jessie décide de préparer une trousse d'articles de bureau pour Chloé. Mais avant de le faire, elle appelle Anne-Marie.

— Je me prépare pour aller garder chez les Lamarre demain, dit-elle. Je veux être sûre d'avoir dans ma trousse à surprises des choses qui conviendront à chacun des enfants. Becca m'a suggéré le jeu des secrétaires, pour Chloé. Qu'en penses-tu ?

— Ça me semble très bien. Je suis sûre que Chloé va aimer ça.

— D'accord. Je m'en occupe tout de suite. Merci, et au revoir.

Il faut à Jessie une demi-heure (alors qu'elle aurait dû faire son travail de français) pour réunir des crayons de couleur, des crayons-feutres magiques, des stylos, des gommes à effacer, des trombones (rouges, blancs et bleus), des ciseaux pour enfants, du ruban adhésif, des blocs-notes, des élastiques, des autocollants, du papier à lettres et des enveloppes.

— Ça y est ! dit-elle. Avec ça, je devrais remporter le trophée de la gardienne de l'année.

Le jour où elle doit aller chez les Lamarre, Jessie s'assure d'arriver cinq minutes avant l'heure prévue, assez tôt pour faire bonne impression, mais pas trop tôt, pour ne pas déranger madame Lamarre (au cas où ce serait ça, le problème que j'ai causé). Jessie est déterminée à plaire à ses nouveaux clients.

Elle s'arrête sur le perron de la maison des Lamarre, tenant serrée contre elle sa trousse à surprises qui contient aussi la petite trousse de bureau. Elle est sûre que Chloé va l'aimer. Jessie l'a montrée à Becca hier, et non seulement celle-ci l'a adorée, mais elle a demandé à Jessie de lui en préparer une. Jessie s'est empressée de le faire.

Elle prend une grande inspiration et appuie sur le bouton de la sonnette. Quelques instants plus tard, la porte s'ouvre.

— Bonjour ! dit-elle en souriant à la dame qui se tient dans l'entrée. Je suis Jessie Raymond. Je suis la gardienne.

Madame Lamarre a l'air en état de choc. Lorsque Jessie nous a raconté son histoire, cet après-midi-là, ce sont les mots qu'elle a utilisés pour décrire l'expression du visage de madame Lamarre. « En état de choc, nous a répété Jessie. Je ne vois pas d'autre façon de le dire. »

Pendant que madame Lamarre fixe Jessie, celle-ci a la même réaction que moi quand ça m'est arrivé. Elle se demande ce qui peut déranger madame Lamarre. Sa blouse est-elle mal boutonnée ? La fermeture éclair de son jean est-elle ouverte ? Ah ! madame Lamarre doit préférer les filles en robes !... Non, ce n'est pas ça. Jessie sait que Chloé et Céleste ont des jeans. Nerveusement, Jessie examine encore ses vêtements, puis regarde madame Lamarre.

— Est-ce que... est-ce que je suis en retard ? bégaie-t-elle en jetant un coup d'œil à sa montre.

— Non, heu... non, fait madame Lamarre en reculant

d'un pas. Je n'ai plus besoin de gardienne, finit-elle par dire. J'ai oublié de t'avertir.

Et elle ferme la porte.

Jessie reste figée sur place. Elle a envie de pleurer, mais elle ne sait pas vraiment pourquoi. On ne l'a pas réprimandée, on ne l'a pas injuriée, mais elle a de la peine. Et une pensée familière s'infiltre dans son esprit, sans qu'elle n'arrive toutefois à la préciser.

Jessie redescend lentement l'allée de la maison des Lamarre. Lorsqu'elle arrive au trottoir, elle se retourne et regarde la maison. Elle ne voit personne, ni madame Lamarre, ni les enfants. Seulement un rideau qui bouge à l'une des fenêtres.

Il reste encore deux heures avant la réunion du Club. Jessie, qui transporte toujours sa trousse à surprises, décide d'aller chez Marjorie. Pour une raison ou pour une autre, elle n'a pas envie de rentrer chez elle et de raconter ce qui s'est produit chez les Lamarre. Chemin faisant, elle songe à la trousse de bureau qu'elle a préparée pour Chloé et à la demi-heure qu'elle aurait dû passer à faire son devoir de français.

Lorsqu'elle sonne chez les Picard, elle est en larmes.

Mais plus tard, lorsqu'elle arrive avec Marjorie au quartier général du CBS, elle ne pleure plus. Elle est seulement intriguée, tout comme moi la dernière fois.

— Peut-être que madame Lamarre s'attendait à une gardienne plus vieille, déclare Jessie pendant la réunion. Peut-être pensait-elle que j'avais treize ans, comme Anne-Marie et Claudia.

— Mais pourquoi ne l'aurait-elle pas dit, tout simplement? demande Christine, la mine soucieuse.

Il ne fait pas de doute que, pour notre présidente, madame Lamarre est une source de problèmes. Je vois bien qu'elle essaie de trouver quoi faire à son sujet. Il faut toujours être délicat avec les clients.

— Je ne sais pas. Mais elle semblait gênée, répond Jessie. En fait, ce n'est pas ça. Comme je vous l'ai dit, elle avait l'air en état de choc. Et vous savez quoi ? Elle m'a presque fermé la porte au nez !

Je lance à Jessie un regard de sympathie. Puis, pour la mettre à l'aise, je lui demande de nous montrer la trousse de bureau qu'elle a préparée. Nous la trouvons très originale, et presque toutes les filles se proposent d'en fabriquer de semblables.

Mais personne ne réussit à oublier madame Lamarre.

— Elle va peut-être appeler aujourd'hui, dit Christine.

Chaque fois que le téléphone sonne, nous sursautons, en espérant que ce soit madame Lamarre.

Mais non.

— Je crois que je pourrais l'appeler, dit Christine d'un ton hésitant. Même que je devrais le faire. En tant que présidente du Club, c'est mon devoir de découvrir pourquoi un client est insatisfait.

— Hé ! s'exclame Jessie, rayonnante. Attends un peu ! On fait une tempête dans un verre d'eau. Peut-être que madame Lamarre a vraiment oublié de nous avertir qu'elle n'avait plus besoin de gardienne pour aujourd'hui. Elle a peut-être changé ses plans à la dernière minute et elle n'a pas pensé à nous appeler. C'est pour ça qu'elle avait l'air gênée.

— Je ne sais pas, dis-je sans vouloir froisser Jessie mais en voulant être honnête avec elle. Ça n'explique pas pourquoi elle ne veut toujours pas que je garde ses enfants.

— C'est vrai, admet Jessie.

Pendant plusieurs minutes, nous restons assises en silence. Finalement, Anne-Marie soupire et annonce :

— Eh bien, je suis censée retourner garder chez les Lamarre la semaine prochaine. On pourrait attendre et voir la suite ?

— Bien sûr, dit Christine. Pourquoi pas ? Je ne vois pas ce qu'on peut faire d'autre.

Il est dix-huit heures, et Christine déclare que l'assemblée est levée. Mes amies quittent lentement ma chambre et s'en vont chacune de leur côté.

Au souper, j'essaie de paraître enjouée, malgré tout.

— Tu sais ce qu'il nous faut ? demande Jérôme Robitaille. C'est un nom. Un nom qui attire l'attention.

Jérôme parle de l'orchestre. Mes amies et moi avons organisé plusieurs réunions avec les enfants, et tous ont maintenant fait leur choix entre chanter ou jouer d'un instrument. Nous avons trouvé ou fabriqué les instruments. Il y a beaucoup de mirlitons et d'instruments de percussion (bon nombre des plus petits veulent jouer du tambour, du tambourin et des cymbales), mais nous avons aussi quelques pianistes, un flûtiste, un trompettiste, un violoniste et une guitariste. Myriam, Gabrielle, Bruno Barrette et Margot Picard sont nos chanteurs.

Lors de notre première répétition, les enfants ont décidé à l'unanimité d'apprendre la chanson « Sifflez en travaillant », du film *Blanche-Neige et les sept nains*.

Ce samedi, je garde chez les Robitaille et les garçons répètent. Jérôme veut trouver un nom pour le groupe.

— Tu as raison, dis-je. As-tu des suggestions ?

Jérôme se met à réfléchir. Il joue du mirliton.

— Les Beatles ?

— Ça existe déjà, Jérôme, dis-je en réprimant un sourire.

— Alors les Beatles juniors ? Les petits Beatles ?

— Je ne pense pas.

— Le grand orchestre J.R., Jérôme Robitaille !

— Jérôme ! dit Augustin d'un ton indigné. Ce n'est pas ton groupe.

Stéphane ajoute :

— Je pense que le nom devrait être amusant.

— Les Farfelus ! dit Augustin.

— Les Tortues têtues ! propose Stéphane.

— Allez, trouvez autre chose, dis-je en riant.

Les garçons Robitaille se mettent à réfléchir. Après un moment, Jérôme dit, sérieusement :

— Tu sais, je crois que nous devrions nous appeler « Les Enfants du monde ». Parce que nous sommes tous des enfants, tous d'âges différents, et tous d'origines...

— Tu l'as ! coupe Stéphane. Et nos familles viennent de pays différents. Ma mère est polonaise, ajoute-t-il fièrement.

— Et je suis japonaise, dis-je. Et Annie et Léonard Papadakis sont grecs, et les Hobarts sont australiens.

— Saviez-vous, intervient Augustin, que l'arrière-arrière-arrière-grand-père de Jonathan Mainville était Amérindien ? Ça veut dire que Jonathan a vraiment des racines ici, parce que les Amérindiens habitaient ici avant que les Français viennent s'y établir. C'est mon professeur qui me l'a dit.

— J'aime bien le nom « Les Enfants du monde », dis-je. C'est un nom formidable.

— J'aime ça moi aussi, disent Stéphane et Augustin à l'unisson.

Jérôme sourit, fier de lui.

— Alors, dis-je, prêts pour la répétition ? Je pense qu'on devrait répéter un peu avant d'aller chez Jonathan.

Nous avions répété chez les Mainville parce que monsieur et madame Mainville ont été assez gentils pour permettre non seulement à nos deux pianistes d'utiliser leur piano électrique mais aussi d'installer l'instrument sur la galerie, derrière la maison, parce que c'est plus facile pour le groupe de jouer dehors.

— Claudia ? demande Jérôme. Quand nous serons chez Jonathan, est-ce que je pourrai annoncer aux autres le nom de notre groupe ?

— Bien sûr. Sauf que je pense qu'on devrait seulement le suggérer, puis passer au vote. Ce serait plus démocratique. Alors, les enfants, vous êtes prêts à répéter ?

— On ferait mieux de se réchauffer avant, dit Augustin.

Les enfants se précipitent dans la salle de séjour. Stéphane s'installe au piano, Augustin prend le tambourin et Jérôme, son mirliton.

— On fait des gammes ! ordonne Stéphane, qui place son pouce sur le do central et chantonne... do, ré, mi, fa, sol, la, si, do.

Jérôme l'accompagne en faussant.

Augustin frappe sur le tambourin en suivant le rythme du piano.

— Fantastique ! proclame Stéphane lorsqu'ils ont fini. Alors on joue « Sifflez en travaillant » et toi, Claudia, tu vas chanter.

— Moi ? Chanter ?

— Oui, ça m'aide à garder le rythme. On est habitués à entendre Myriam et Gabrielle chanter, et tout le monde chante quand on joue.

— Mais je ne peux pas chanter. J'ai une voix horrible.

(En fait, je ne chante pas si mal que ça, mais je ne connais pas bien les paroles de la chanson.)

— Tout le monde peut chanter, dit Stéphane.

— Pas moi.

— Alors je vais chanter, dit Augustin.

Stéphane regarde son petit frère d'un air soupçonneux.

— Tu es sûr que tu connais les paroles ?

— Bien sûr que je suis sûr. On y va.

— Prêts ? dis-je. Un, deux, trois, quatre.

Stéphane joue la mélodie, Jérôme souffle dans son mirliton et Augustin frappe sur le tambourin en chantant :

— Sifflez en travaillant, soufflez en travaillant...

— Quoi ? demande Stéphane en s'arrêtant de jouer.

— Quoi, quoi ? répond Augustin.

— Tu as dit « soufflez en travaillant », dit Jérôme en éclatant de rire.

— Ça y est, on n'a pas de chanteur ! s'exclame Stéphane d'un ton dramatique.

— Alors je peux faire un solo de tambourin ? demande Augustin.

— NON ! crie Stéphane.

Il est très déçu, mais de toute façon nous devons interrompre la répétition parce que le mirliton de Jérôme est tombé dans le piano.

— Vous savez quoi ? dis-je après avoir récupéré le mirliton. C'est le temps d'aller chez Jonathan. Jérôme, Augustin, n'oubliez pas vos instruments. Toi, Stéphane, n'oublie pas ta partition.

Les garçons Robitaille et moi partons chez les Mainville. De loin, nous entendons déjà de la musique, des rires et des cris.

— Bonjour tout le monde ! lance Jérôme en ouvrant la barrière des Mainville. Nous avons de bonnes nouvelles !

— Quelles bonnes nouvelles ? demande Christine.

Tous se tournent vers nous et Jérôme avance d'un pas.

— J'ai pensé à un nom pour notre groupe. Je pense qu'on pourrait s'appeler « Les Enfants du monde », parce qu'il y a des enfants d'un peu partout dans notre groupe.

Pendant un moment, j'ai l'impression que certains enfants, surtout les plus vieux, ne seront pas d'accord. Mais tous commencent à sourire. Je jette un coup d'œil à Christine et aux autres membres du CBS, qui sourient aussi. Je mets un bras autour des épaules de Jérôme.

— Alors c'est réglé, dit Christine. Tout le monde est là ? demande-t-elle en jetant un coup d'œil dans la cour.

Nous n'avons pas de règles strictes pour les répétitions. Les enfants qui peuvent venir le font. Ceux qui ont un empêchement n'ont qu'à venir à la répétition suivante. Cet après-midi, les enfants Lamarre sont absents ainsi que les Barrette, Léonard Papadakis et David Thomas. Mais même s'il manque des musiciens, nous sommes assez nombreux et nous avons trois ou quatre chanteurs.

— Les enfants, à vos places ! dis-je.

Dans la mêlée qui s'ensuit, Claire Picard trébuche et tombe sur les genoux, Augustin réussit à s'asseoir sur son tambourin (sans le briser), Annie Papadakis perd son harmonica et deux enfants annoncent qu'ils ont oublié d'apporter leurs tambours. Alors Marjorie console sa sœur, et Anne-Marie aide Augustin et Annie.

— Comment se fait-il que vous veniez à une répétition sans vos instruments ? dit Christine.

Les enfants baissent la tête.

— Christine, propose Jonathan, maman a mis des boîtes de conserve vides dans le garage. On pourrait s'en servir comme tambours, aujourd'hui.

Après avoir préparé les instruments, je lance de nouveau :

— À vos places !

Je me tourne vers Martine Arnaud et Stéphane, qui sont au piano.

— Un, deux…

— Hé ! m'interrompt Karen Marchand, la sœur de Christine, qui a l'air tout excitée. Savez-vous ce qu'il nous faut ? Puisque nous avons un nom, nous devrions le peindre sur un de nos gros tambours. Tous les groupes font ça. On aura l'air de professionnels, avec un gros tambour sur lequel il est écrit « LES ENFANTS DU MONDE ».

— Mais nous n'avons pas de gros tambour, signale Myriam. Nos tambours sont des boîtes de farine d'avoine et des boîtes de conserve.

— C'est vrai, dit Karen, déçue.

— Je pense qu'on pourrait inscrire « LES ENFANTS DU MONDE » sur les couvercles des boîtes de farine d'avoine, dis-je, mais personne ne verra l'inscription.

— J'ai une idée, suggère Anne-Marie. On pourrait fabriquer une grande banderole portant notre nom.

— On pourrait découper les lettres dans du feutre et les coller sur la banderole, dis-je.

— Rose et blanc ! crie Karen.

— Ce sont des couleurs de fille, dit Nicolas Picard. Pourquoi pas bleu et blanc ?

— Des couleurs de garçon ! lance Karen d'un air dédaigneux.

— Les enfants, interrompt Christine, il faut répéter.

— Et quand nous aurons notre banderole, nous pourrons donner un spectacle pour nos familles et nos amis, dit Jérôme.

— Mais il faut vraiment... commence Christine.

— Un programme ! fait Becca Raymond.

— Avec les paroles des chansons, ajoute Charlotte Jasmin.

— Nous n'avons même pas appris une seule chanson, marmonne Christine.

— On pourrait chanter des chansons de Passe-Partout ! s'écrie Myriam.

— Oui ! dit Gabrielle. On connaît les paroles.

— Je ne veux pas chanter des chansons de bébés, grogne Nicolas.

— Alors va pour « Sifflez en travaillant », lance Christine d'une voix forte. On commence.

Les enfants s'arrêtent et la regardent.

— C'est vrai, convient Jérôme. Il faut répéter.

— Stéphane, Martine, à vos places, dis-je. Un, deux, trois, quatre.

Et c'est parti !...

Jeudi

Je suis allée garder chez les Lamarre et j'ai passé un après-midi intéressant (c'est une façon polie de décrire la situation). Au fond, tout s'est bien déroulé. Les enfants ont été gentils. Je n'ai pas eu de problèmes avec eux, Claudia. En fait, c'était une garde comme toutes les autres. Mais l'expérience me fait penser à un oeuf pourri. Extérieurement, tout est normal, mais on n'est pas sûr de vouloir savoir ce qui se trouve sous la coquille.

En lisant les premières lignes des notes de Christine, je suis choquée. Alors Anne-Marie n'a pas eu de problèmes avec les enfants Lamarre, et Christine non plus, mais ils ont été exécrables avec moi. Est-ce que ça veut dire que je suis aussi mauvaise gardienne que mauvaise élève à l'école ?

C'est ce que je pense au début. Puis je me calme et je poursuis ma lecture.

En fait, Christine n'était pas censée garder chez les Lamarre. Anne-Marie devait y aller le jeudi, mais la curiosité de Christine était trop forte.

À notre dernière réunion, elle décide qu'elle doit découvrir pourquoi madame Lamarre avait été sèche avec moi et pourquoi elle avait renvoyé Jessie. Alors elle demande à Anne-Marie de lui laisser sa garde. Elle lui propose même de lui donner l'argent qu'elle gagnerait.

— Mais non, Christine, répond Anne-Marie. Demande à madame Lamarre si ça ne la dérange pas que tu y ailles à ma place. De toute façon, je trouverai un autre contrat pour jeudi. On a reçu une foule d'appels récemment.

Christine appelle donc madame Lamarre.

— Bonjour, je suis Christine Thomas, la présidente du Club des baby-sitters. Nous nous sommes déjà parlé. Heu... madame Lamarre, Anne-Marie a un empêchement jeudi.

(Ce n'est pas vraiment un mensonge. L'empêchement, c'est que Christine veut rencontrer madame Lamarre.)

— Mais si ça ne vous dérange pas, poursuit Christine, je la remplacerai jeudi. J'ai treize ans, comme Anne-Marie, et je suis une gardienne très responsable. Tous mes clients le disent.

— Eh bien, dit madame Lamarre, parfait. Il me faut absolument une gardienne pour jeudi, alors c'est d'accord.

Madame Lamarre reste silencieuse quelques instants, et Christine a l'impression qu'elle voudrait ajouter quelque chose. Mais elle ne dit rien.

— Alors au revoir, madame Lamarre. À jeudi.

— Au revoir.

Ding dong !

Jeudi, Christine arrive chez les Lamarre, et son cœur bat plus vite pendant qu'elle attend qu'on ouvre.

Christine n'a pris aucun risque. Comme Jessie, elle arrive exactement cinq minutes avant l'heure, pas plus, pas moins. Et elle porte une jupe, ce qui est un énorme sacrifice pour elle. D'habitude, elle porte des robes et des jupes seulement pour les occasions spéciales ou lorsque sa mère l'y oblige. Mais pour aller chez les Lamarre, Christine s'est habillée comme Anne-Marie : une jupe, une blouse, des mi-bas, des chaussures de cuir et même un ruban dans ses cheveux.

Dès que la porte s'ouvre, madame Lamarre fait exactement comme quand Anne-Marie, Jessie et moi sommes allées chez elle. Elle dévisage Christine pendant un moment. Puis elle sourit et l'invite à entrer.

Christine reçoit le traitement de faveur, comme Anne-Marie. C'est une bonne chose parce que, lorsque madame Lamarre finit de donner à Christine les numéros d'urgence et ses instructions spéciales, Christine se sent assez à l'aise pour dire :

— Madame Lamarre, comme vous êtes une nouvelle cliente du Club des baby-sitters, est-ce que je peux vous poser une question très importante ? C'est au sujet de la qualité de notre service.

— Bien sûr, répond madame Lamarre en souriant.

— Jusqu'ici, êtes-vous satisfaite de nous ? Est-ce que nous faisons du bon travail ?

— Oh ! oui, je suis satisfaite.

— De Anne-Marie Lapierre ?

— Tout à fait.

— De Claudia Kishi ?

— Elle a fait du bon travail.

— Mais vous ne voulez pas qu'elle revienne garder chez vous, n'est-ce pas ?

— C'est que les enfants adorent Anne-Marie, répond madame Lamarre avec une drôle de voix.

— Et Jessie…

— Marco ! Chloé ! lance brusquement madame Lamarre. C'est vous ?

— Oui ! Bonjour, maman !

— Bonjour, maman ! fait Chloé.

Les enfants arrivent dans la cuisine et madame Lamarre leur accorde toute son attention. Christine n'a plus la possibilité de lui parler de Jessie. Mais cela ne l'empêchera pas de poser des questions aux enfants.

Plus tard, lorsque Céleste se réveille après sa sieste, les trois enfants prennent leur collation avec leur nouvelle gardienne.

— Est-ce que vous aimez faire de la musique dans notre groupe ?

— Oui, répondent-ils.

— Saviez-vous que le groupe a un nom, maintenant ? ajoute Christine.

— Ah ! oui ? demande Marco. Qu'est-ce que c'est ?

— Les Enfants du monde.

— C'est très joli, approuve Chloé.

— Ce serait bien si vous pouviez venir plus souvent, dit Christine.

Les enfants Lamarre ont raté beaucoup de répétitions.

— Maman dit qu'elle veut savoir ce qu'on fait pendant les répétitions, explique Chloé. Elle n'a pas encore rencontré les autres enfants.

— Qu'est-ce que tu veux dire ?

— Eh bien, elle aime savoir avec qui on joue.

— Je comprends.

Cela a du bon sens. Sa mère et Guillaume aiment eux aussi connaître les amis de ses frères et sœurs plus jeunes.

— Tu es une gentille gardienne, dit Marco, quelques instants plus tard.

— Merci, répond Christine. Je suis contente que votre maman appelle notre Club. Qu'est-ce que vous pensez des autres gardiennes ?

— Anne-Marie est amusante, dit Chloé. Elle a beaucoup joué avec nous.

— Je suis sûre que vous avez aussi aimé Claudia. C'est elle qui vous a fait entrer dans le groupe, vous vous souvenez ? Elle vous a amenés chez les Hobart.

— Ah ! oui ! dit Chloé en ricanant. Celle qui a l'air bizarre.

(Merci beaucoup !)

Pendant quelques secondes, Christine ne comprend pas. Je sais que je suis l'une des filles les plus sophistiquées de l'école. Tout le monde est de cet avis. Et un garçon de l'école a même dit que j'étais « super-cool ». Les gens ont la même opinion de Sophie.

C'est pourquoi Christine réfléchit après avoir entendu le mot « bizarre ». Puis elle songe à ma façon de m'habiller et se rappelle qu'elle a elle-même fait très attention à sa tenue, aujourd'hui. Ce doit être ce que Chloé veut dire. Mes vêtements et mes bijoux étaient trop excentriques pour les Lamarre.

— Il est arrivé quelque chose d'étrange, poursuit Christine. Votre maman avait engagé une autre gardienne, et je pense que vous ne l'avez même pas rencontrée.

— Est-ce qu'elle est venue très tard le soir ? demande Marco.

— Non, elle est venue dans l'après-midi.

— De quoi elle a l'air ? demande Chloé. On l'a peut-être vue.

— Eh bien, elle est ballerine. Elle porte les cheveux tirés en arrière. Elle a de très longues jambes... et elle est noire.

Chloé et Marco, qui sont en train de boire du jus, s'étouffent presque.

— Alors, dit péniblement Chloé en toussant, c'est probablement que maman ne l'a pas aimée.

Enfin, c'est ce que Christine comprend. Mais Chloé tousse tellement qu'elle a peut-être dit : « C'est probablement pour ça que maman ne l'a pas aimée. »

Pendant que son frère Charles la ramène à la maison, à la fin de l'après-midi, Christine n'arrête pas de penser aux Lamarre. Et elle continue à y penser pendant le souper.

— Christine ? demande sa mère pendant qu'elles débarrassent la table. Tu vas bien ? Tu n'as pas dit un mot du souper.

— Pour une fois, fait son frère Sébastien.

Madame Marchand lance un regard noir à son fils, mais Christine ne l'a même pas entendu.

— Maman, est-ce que je pourrais te parler, ce soir ?

— Bien sûr, chérie. De femme à femme ?

— Non, il s'agit d'autre chose. Est-ce que grand-maman et Guillaume peuvent discuter avec nous ?

— Oh ! la la ! s'exclame Sébastien. Ça doit être grave ! Qu'est-ce que tu as fait ?

— Rien.

— Je vais chercher Guillaume et ta grand-mère, dit la mère de Christine.

— As-tu raté un examen ? demande Sébastien.

— Viens au salon, chérie.

— As-tu brisé quelque chose ? poursuit Sébastien. As-tu volé quelque chose ? As-tu raconté un mensonge ?

Christine suit sa mère au salon. Lorsque sa grand-mère et Guillaume arrivent à leur tour, elle commence :

— Ce que je vais vous dire peut sembler terrible, et je n'ai pas de preuves, mais il faut que j'en parle à des adultes. C'est au sujet des Lamarre.

— Vas-y, dit sa mère.

— Je pense qu'ils sont... qu'ils sont racistes.

— C'est une accusation assez grave, commente Guillaume.

— Je le sais, dit Christine en hochant la tête. Mais madame Lamarre a refusé de faire entrer Jessie, et les enfants appellent Claudia « celle qui a l'air bizarre ». Au début, je pensais qu'ils parlaient de ses vêtements, mais j'ai l'affreuse impression qu'ils voulaient parler de son... de son visage. De ses yeux. De son origine asiatique.

Lorsqu'elle finit de raconter son après-midi chez les

Lamarre, sa mère, son beau-père et sa grand-mère échangent des regards soucieux. Finalement, sa grand-mère soupire et déclare :

— Avec chaque nouvelle génération, je me dis que ce sera terminé. Mais ça ne semble pas s'améliorer. Je suis peut-être une vieille dame dépassée.

— Ce sont les Lamarre qui sont dépassés, dit Christine.

— Pauvres enfants ! déplore sa mère. Ils n'ont même pas la chance de se faire eux-mêmes une opinion.

— Tel père, tel fils, murmure Guillaume.

— Vous savez, dit Christine au bord des larmes, j'espérais m'être trompée. J'espérais vous entendre dire que je me faisais des idées, ou que j'exagérais.

— Ma chérie, répond sa mère, j'aurais bien voulu. Les parents veulent protéger leurs enfants contre tout ce qui est mal. Mais ils ne le peuvent pas toujours.

Christine pose la tête sur l'épaule de sa mère.

— On ne sait jamais. Je me suis peut-être trompée.

— J'imagine que vous voulez savoir ce qui se passe, commence Christine.

— Oui, répondons-nous, Jessie, Marjorie, Diane et moi.

— Il faut qu'on parle de madame Lamarre, poursuit Christine.

J'ai l'impression qu'une chape de plomb vient de me tomber sur les épaules. Ça va vraiment mal, parce que Christine n'a pas dit un mot à l'école, même pendant le dîner. Maintenant, elle est assise dans mon fauteuil, mais elle a oublié de mettre sa visière. Et au lieu de glisser son crayon sur son oreille, elle le tripote nerveusement.

Madame Lamarre est donc le sujet à l'ordre du jour. Christine a remplacé Anne-Marie chez les Lamarre hier. Qu'est-ce qui est arrivé ? Qu'est-ce que madame Lamarre a bien pu dire ? Je suis sûre que je suis en cause.

Christine se mord la lèvre.

— Qu'est-ce qui se passe, Christine ? demande Sophie. Qu'est-ce qui ne va pas ?

Christine a l'air si mal à l'aise que je décide de venir à sa rescousse.

— Je pense que c'est ma faute. J'ai dû faire une gaffe chez les Lamarre et ils ont décidé de ne plus faire appel au Club, c'est bien ça ? Allez, Christine, dis-le.

— Ce n'est pas exactement ça, dit Christine sans lever les yeux. Mais j'ai l'impression que j'essaie de t'épargner, Claudia. Écoutez, les filles, j'ai fait une découverte horrible. J'en ai discuté avec maman, Guillaume et grand-maman, hier soir, et ils pensent que j'ai peut-être raison. Le pire, c'est que si j'ai raison, on ne peut rien y faire.

— Christine, explique-toi, je t'en prie ! lance Diane.

— Les Lamarre ont des préjugés, dit brusquement Christine. Ils ne t'ont pas aimée, Claudia, parce que tu es japonaise. Et toi, Jessie, madame Lamarre a refusé que tu entres chez elle parce que tu es de race noire.

J'en reste bouche bée, j'ai les mains qui tremblent et les joues brûlantes. Je proteste :

— Mais je suis une bonne gardienne ! Ce n'est pas juste ! Ce n'est tout simplement pas juste !

Je regarde Jessie, assise en tailleur sur le plancher, avec Marjorie. Elle ne dit rien.

— Tu n'es pas en colère ? Au moins, madame Lamarre m'a laissée entrer. Toi, elle t'a fermé la porte au nez.

— Ça m'est déjà arrivé, dit doucement Jessie.

— Eh bien, pas à moi ! fais-je en criant.

Pour une quelconque raison, j'ai honte. Et j'ai l'impression désagréable que Christine, Anne-Marie, Marjorie, Sophie et Diane ont honte pour Jessie et moi.

— Qu'est-ce que... qu'est-ce que le fait d'être asiatique a à voir avec le fait d'être une bonne gardienne ?

— Rien, répond Jessie. Les préjugés n'ont aucun sens.

— Ce n'est ni rationnel, ni logique, ajoute Anne-Marie.

Ma colère monte. J'ai l'impression que je vais exploser. Le problème est que je ne sais pas contre qui me choquer, puisque madame Lamarre n'est pas dans la pièce. Finalement, c'est contre mes amies que je me décharge le cœur :

— Vous pouvez au moins me regarder, les filles ! Je ne suis pas un monstre, vous savez. Je n'ai rien fait de mal.

— Madame Lamarre pense qu'on va contaminer ses enfants et sa maison, dit Jessie d'un ton amer.

— Oui, mais c'est madame Lamarre qui pense ça, souligne Sophie, pas nous.

— Je m'excuse, dis-je tout bas.

— Si ça peut vous consoler, ajoute Diane, je suis sûre que les Lamarre n'aiment ni les juifs, ni les Amérindiens, ni les bouddhistes, ni les gens d'Amérique latine. Ils aiment juste les Blancs, qui ressemblent à leur famille parfaite.

— Je ne sais pas si c'est consolant de savoir que je ne suis pas la seule que les Lamarre détestent...

— Claudia, ils ne te détestent pas, précise Jessie. C'est juste qu'ils ne te comprennent pas. C'est ce que mon père m'a déjà expliqué.

— Mais qu'est-ce qu'ils devraient comprendre ? dis-je en hurlant. J'ai deux yeux, deux oreilles, un nez, une bouche, comme eux. Je vis dans une maison comme la leur. Mes parents travaillent, et ma sœur et moi, nous allons à l'école. Lorsque nous avons faim, nous mangeons, et lorsque nous sommes fatigués, nous dormons, et nous rions, nous pleurons et nous avons des sentiments, comme les Lamarre !

— Comme chez nous, dit Jessie. Mais ma peau est noire. Et tu as les yeux bridés, Claudia.

— Et puis après ?

— C'est pourquoi les préjugés ne sont pas rationnels.

— Ce doit être difficile de vieillir, ajoute Christine.

Je la regarde avec étonnement.

— Quoi ?

— Hier, ma grand-mère m'a expliqué quelque chose. Elle a dit qu'elle espérait que le racisme diminuerait avec chaque génération, ou quelque chose comme ça, et qu'elle était déçue que la situation ne s'améliore pas.

— Eh bien, on peut dire que la situation a déjà été pire, dit Marjorie avec hésitation. Pendant des centaines d'années, les Noirs ont été des esclaves aux États-Unis. Et pendant la Deuxième Guerre mondiale, les nazis ont tué des millions de juifs. Mais ça va mieux maintenant, non ?

— As-tu déjà entendu parler des « skinheads » ? demande Sophie. Ils battent les Noirs, les Asiatiques, tous ceux qui sont différents d'eux. Et il y en a ici, aujourd'hui. C'est comme le KKK.

— Le quoi ? dis-je en fronçant les sourcils.

— Le Ku Klux Klan, explique Jessie. C'est un mouvement raciste qui est né au siècle dernier dans le sud des États-Unis, et qui s'est même répandu ici.

— C'est terrifiant, dit Anne-Marie, les yeux pleins de larmes. Je me demande si ces « skinheads » pourraient m'attaquer. Je pense que j'ai des ancêtres russes. C'est peut-être un problème.

— Là, je comprends ce que la grand-mère de Christine voulait dire, dit Marjorie. Je crois que tant qu'il y a des préjugés et des incompréhensions, il y a des problèmes. Et des personnes innocentes vivent dans l'inquiétude et sont persécutées.

— Ou se font tuer, ajoute Diane.

La honte, la colère, et maintenant la peur. Je ne sais plus ce que je ressens.

Le téléphone sonne et je sursaute. J'ai complètement oublié que nous sommes en pleine réunion du CBS. Jessie répond.

— Bonjour, le Club des baby-sitters.

Elle écoute quelques secondes, puis son visage se ferme.

— Un instant, dit-elle froidement. Vous pouvez parler à Christine.

Jessie lui tend le téléphone.

— C'est madame Lamarre, fait-elle sur un ton que je ne lui connais pas. J'imagine que tu veux lui parler.

— Allô ? dit Christine. Ah ! bon !... Je vous rappellerai.

Lorsque Christine raccroche, j'explose :

— Pourquoi vas-tu la rappeler ? J'espérais que tu lui dises le fond de ta pensée.

— Moi aussi, répond Christine, mais elle m'a prise par surprise. Je ne savais vraiment pas quoi dire. Écoutez. Madame Lamarre a eu le toupet de demander la gardienne blonde aux yeux bleus dont elle a entendu parler. C'est dément ! Mais qui pense-t-elle que nous sommes ? Qui pense-t-elle que je suis ? Elle sait que je ne suis pas une blonde aux yeux bleus. Est-ce que ça veut dire que je ne suis pas assez bonne pour garder chez elle de nouveau ?

— Tu vois, Claudia, ajoute Anne-Marie. Je crois que je ne faisais pas son affaire moi non plus. Madame Lamarre ne me demande plus comme gardienne. Tu n'as donc pas à t'en faire.

— Les filles, annonce Christine avec un petit sourire, qu'est-ce qu'on va faire ? Quand on y pense, c'est une vraie histoire de fous.

— Et comment ! dis-je.

— Je suis une blonde aux yeux bleus, précise Sophie, mais plutôt mourir que de garder chez les Lamarre.

— Même chose pour moi, dit Diane.

— Parfait. Alors regardez-moi bien ! fait Christine avec un grand sourire.

Je souris moi aussi. Christine a eu une autre idée, et je suis sûre qu'elle est géniale. Elle rappelle madame Lamarre.

— Je suis désolée, madame, mais nous n'avons pas de gardienne libre qui est blonde aux yeux bleus. Et toutes les autres sont occupées. Ah ! j'oubliais, nous avons un membre associé ! Il s'appelle Louis.

Christine s'arrête. Manifestement, madame Lamarre l'a interrompue.

— Comment ? Les garçons ne gardent pas ? Ah ! bon ! Louis garde, lui. Et savez-vous, je peux peut-être me libérer, si je ne garde pas Émilie. Je ne vous avais pas dit que j'ai une sœur adoptive ? Oui, une petite Vietnamienne... Pardon ? Vous n'avez... C'est ce que je me disais. À bientôt, madame Lamarre.

Christine raccroche.

— Nous avons perdu un contrat.

— Parfait, dis-je.

— C'est étrange, non ? Dès que je lui ai parlé de Louis et d'Émilie, elle n'a plus eu besoin de gardienne, comme par magie.

— Mais qu'est-ce qu'elle lui reproche, à Louis ? demande Anne-Marie.

— C'est un garçon, répond Christine en souriant toujours. Dans le monde de madame Lamarre, les garçons ne gardent pas. Et j'ai commis le crime d'appartenir à une famille qui a adopté une petite Vietnamienne. Pendant que j'y pense, Diane et Sophie, vous avez beau être des blondes aux yeux bleus, je suis sûre que vous n'auriez pas fait l'affaire de madame Lamarre, non plus.

Toutes les filles sourient, maintenant.

— Mais pourquoi ? demande Sophie.

— Parce que vos parents... commence Christine d'une voix d'outre-tombe, sont divorcés !

— Quelle horreur ! dis-je. Je vais appeler madame Lamarre tout de suite pour l'avertir !

— En fait, ajoute Anne-Marie, quand on y pense, aucune d'entre nous ne conviendrait aux Lamarre. Claudia, tu es d'origine asiatique. Jessie, tu es noire. Sophie, Diane et Christine, vos parents sont divorcés. J'ai une demi-sœur. C'est vrai, je l'ai mentionné aux enfants Lamarre. Et Marjorie...

— Quoi ?

— Ta famille est trop nombreuse. Chloé est sûre que vous devez être dans la misère noire. Et savez-vous quoi ? J'ai de la peine pour madame Lamarre.

— De la peine ?

— Oui, une peine grosse comme ça ! fait Anne-Marie en nous montrant son petit doigt.

Plus tard, je suis assise à la table de la cuisine avec mon père. Il prépare une vinaigrette et je coupe des légumes.

— Papa, est-ce que quelqu'un t'a déjà détesté parce que tu es japonais ?

Papa se retourne et me regarde.

— Pourquoi me demandes-tu ça, chérie ?

— Je me posais la question.

— Il est arrivé quelque chose ?

— C'est une cliente, madame Lamarre. Elle ne veut pas que je garde ses enfants parce que je suis d'origine asiatique. Ça ne m'est jamais arrivé. En fait, je ne comprends pas. Il n'y a rien de mal à être japonais, n'est-ce pas ?

— Pas du tout, répond papa. Et je suis désolé que quelqu'un ait agi de sorte que tu te poses une telle question.

— Savais-tu, ajoute Josée qui a apparemment entendu notre conversation, que pendant la Deuxième Guerre mondiale, des milliers de Japonais ont été internés dans des camps de concentration aux États-Unis et aussi au Canada ?

— Quoi ? dis-je, foudroyée. Il y avait des camps de concentration en Amérique du Nord ? Je pensais que les camps de concentration existaient seulement en Europe, comme Treblinka, Dachau et... je ne me souviens pas de tous les noms, mais on a étudié ça à l'école, cette année. Notre professeur ne nous a pas dit qu'il y avait des camps de la mort ici, pour les Japonais.

— Ce n'était pas des camps de la mort, explique Josée. Mais des endroits où les Japonais d'Amérique du Nord étaient internés pendant la guerre.

— Parce que le Japon et l'Amérique du Nord étaient ennemis ?

— Oui. On ne faisait plus confiance aux Japonais installés ici. On leur a fait perdre leurs emplois, on les a arrachés à leurs foyers et internés dans des camps.

— Mais ils n'avaient rien fait de mal !

Et je me rappelle alors ce qu'Anne-Marie a dit : les préjugés ne sont pas rationnels.

— Pourquoi des gens comme madame Lamarre ne cherchent-ils pas à découvrir ce qu'il y a dans le cœur de chacun ? Pourquoi attache-t-on autant de valeur à l'apparence ?

— Je ne sais pas, répond papa, mais ce qui est vraiment important, c'est que toi, tu te préoccupes de ce qu'il y a dans le cœur des gens.

Et il me sourit d'un air attristé.

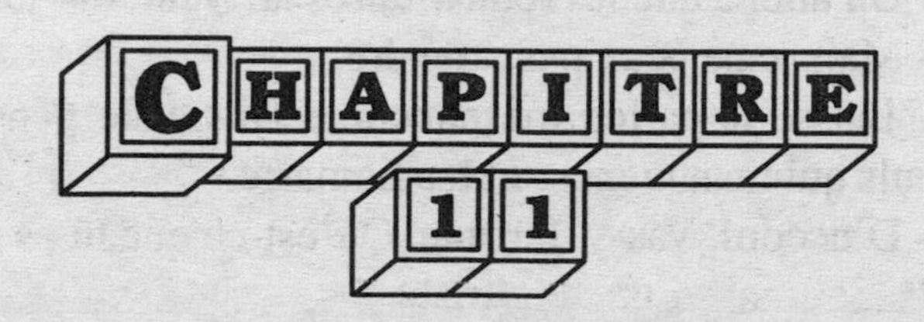

Un samedi, peu de temps après que Jérôme a suggéré de monter un spectacle, nous avons une répétition et presque tous les enfants sont présents, de même que le CBS au complet. Les enfants continuent à arriver, avec leurs instruments.

La plupart des enfants du quartier sont venus, ainsi que les jeunes frères et sœurs des membres du Club. La cour est une véritable fourmilière.

— On commence maintenant ?

— Attendons encore un peu, Claudia, me répond Christine. Il en reste quelques-uns qui ne sont pas arrivés.

Donc, nous attendons. Karen et Annie Papadakis ont préparé une danse. Elles entourent Nicolas Picard en chantant :

— Saute, saute, saute, petite grenouille !

Nicolas s'échappe et court vers David :

— Au secours ! Une attaque de Passe-Partout !

Les percussionnistes (et ils sont nombreux) se rassemblent près des balançoires et jouent de leurs tambours.

Martine et Stéphane jouent un duo au piano.

— Claudia ? demande Jérôme en me donnant une petite tape sur le bras. Est-ce que je peux annoncer quelque chose ?

— On attend que les retardataires arrivent, dis-je.

— Mais je ne peux pas attendre.

— Laisse-le parler, me chuchote Diane. Je pense que les seuls qui manquent sont les Lamarre.

— D'accord. Vas-y, Jérôme. Qu'est-ce que tu as à nous dire ?

— Stéphane, aide-moi à obtenir le silence, demande Jérôme.

Stéphane plaque un accord sur le clavier. Les enfants se rassemblent autour de lui.

Jérôme monte sur une caisse en plastique.

— Hé, tout le monde ! J'ai une idée ! crie-t-il.

— Encore ? demande Vanessa Picard.

— Oui. C'est au sujet du spectacle. Je pense qu'on devrait jouer les mélodies du film *Un violon sur le toit*, plutôt que celles de *Passe-Partout* ou de *Blanche-Neige.*

— Qu'est-ce que c'est *Un violon sur le toit*? demande Becca Raymond.

— Je le sais ! crie Léonard Papadakis. Je l'ai vu à la télé !

Plusieurs enfants connaissent les chansons, dont les mélodies sont assez faciles et le rythme, entraînant. Mais quelques-uns ne savent pas de quoi Jérôme parle.

— Raconte-leur l'histoire de *Un violon sur le toit*, lui dis-je.

— D'accord, répond Jérôme, tout fier d'avoir cette responsabilité. Alors, c'est l'histoire d'une famille où il y a plein de filles…

— Pas des bébés, toujours ? proteste Nicolas.

— ... qui vivait en Russie il y a très longtemps, poursuit Jérôme. Et leur père veut qu'elles se marient, et il veut qu'une femme, une marieuse, leur trouve des maris. Mais les filles deviennent amoureuses d'autres hommes. De plus, il y a une guerre qui se prépare, et la famille a des problèmes parce que ce sont des juifs.

Jérôme me jette un coup d'œil.

— Je ne sais pas pourquoi ça leur cause des problèmes. C'est-à-dire que je ne comprends pas pourquoi les soldats ne les aiment pas. En tout cas, continue-t-il en se tournant de nouveau vers les enfants, les soldats veulent que cette famille et tous les juifs de la ville quittent l'endroit où ils habitent. Ça s'appelle Anatevka. Et ils doivent faire leurs bagages et trouver une nouvelle maison. C'est très triste. Mais les chansons sont bonnes et Stéphane peut en jouer quelques-unes et je pense que notre spectacle devrait s'appeler *Un violon sur le toit* plutôt que *Passe-Partout.*

Plus de la moitié des enfants, qui ont vu le film, sont d'accord. Notre programme est tout chamboulé. Je demande à Stéphane :

— À ton avis, quelle chanson devons-nous apprendre aux enfants en premier ?

— Pourquoi pas « Tradition » ? Je l'aime bien, et le rythme est bon. Et on connaît presque toutes les paroles.

— D'accord. On y va !

Nous venons à peine de commencer que les enfants Lamarre arrivent, accompagnés de leur mère.

— Tradition ! Tra-di-tion ! chantent les enfants à pleins poumons.

Je regarde madame Lamarre, puis je fixe le sol.

— Bonjour, dis-je.

Je me demande à quoi elle a pensé en me voyant. À mes yeux bridés ? C'est pour cela que je garde la tête basse.

— Bonjour, répond madame Lamarre en jetant un regard circulaire dans la cour.

Chloé, Marco et Céleste rejoignent les autres enfants. Puis madame Lamarre s'approche de Diane.

— Es-tu une des gardiennes ? lui demande-t-elle, tout en ignorant les autres filles.

On ne croirait jamais qu'Anne-Marie, Christine et moi avons gardé ses enfants.

— Oui, répond Diane d'un ton prudent.

— C'est toi qui diriges, ici ?

— Non, c'est Claudia. C'est elle qui a eu l'idée de former le groupe.

— Oh ! je vois ! Il semble y avoir toutes sortes d'enfants, ici.

— Oui, répond Diane. Il y en a de tous les âges. Le plus jeune a...

Diane s'arrête. Elle se rend compte que ce n'est pas ce que madame Lamarre veut dire. Il y a toutes « sortes » d'enfants : Becca est noire, Léonard et Annie sont grecs (quoique Diane se demande comment madame Lamarre a pu le deviner en les regardant). Et madame Lamarre sait-elle que la mère des garçons Robitaille est d'origine polonaise ? En fait, Diane s'en moque.

— Oui, répète-t-elle simplement.

— Quelles chansons apprennent-ils ?

— Nous répétons les chansons de *Un violon sur le toit*. Nous sommes en train...

— *Un violon sur le toit* ? siffle madame Lamarre, les

dents serrées. Chloé, Marco, Céleste, venez ! Nous rentrons à la maison.

— Mais maman... commence Marco.

— J'ai dit que nous retournons à la maison. Tout de suite.

— On veut jouer ! dit Céleste en agitant ses baguettes de tambour.

— Tu joueras à la maison.

Madame Lamarre est très sérieuse. Ses enfants obéissent en rechignant. Céleste est au bord des larmes. En passant devant moi, madame Lamarre esquisse une sorte de grimace. Le genre de grimace qu'on fait quand on déballe un paquet de viande et qu'on se rend compte qu'elle est avariée.

Sophie m'entoure de son bras. J'ai envie de pleurer, mais je me retiens en voyant les visages réjouis des « Enfants du monde ». Ils ne savent pas ce qui vient de se passer et ils sont prêts à reprendre la répétition. Stéphane recommence le début de « Tradition » et joue lentement la mélodie pendant que les enfants s'efforcent de la mémoriser.

— As-tu compris quelque chose ? chuchote Anne-Marie.

Nous nous retirons un peu à l'écart. Christine est furieuse. Elle est écarlate.

— Elle n'a pas dû aimer notre choix de musique, dit Jessie.

— Parce que c'est l'histoire d'une famille de juifs russes ? demande Marjorie.

— Tout pour plaire à madame Lamarre, dis-je ironiquement. Des étrangers qui pratiquent une religion différente.

Christine est toujours furieuse.

— Allez, Christine, lui dis-je. C'est toi qui en riais, l'autre jour.

— Oui, mais je n'avais pas eu à affronter madame Lamarre. Je ne pouvais pas voir combien elle me déteste parce que ma petite sœur est vietnamienne. C'est différent lorsqu'on se trouve face à face avec elle.

— Qu'est-ce qu'on devrait faire, maintenant ? demande Sophie.

— Qu'est-ce que tu veux dire ? réplique Diane.

— Au sujet de notre spectacle.

— On continue !

— Et si d'autres parents n'approuvent pas notre choix ?

— Les autres parents ? Aucun d'entre eux n'est comme madame Lamarre. Ils sont d'accord avec ce que nous faisons. Nous n'allons pas changer de programme parce que madame Lamarre ne l'aime pas.

— Sans doute, dit Sophie. Mais savez-vous quoi ? Quand on y pense, nous sommes tout juste sorties de l'enfance. Nous sommes peut-être de bonnes gardiennes, mais…

— Nous sommes vraiment de bonnes gardiennes, l'interrompt Diane.

— … mais nous ne sommes pas encore des adultes. Et ces enfants, ceux de l'orchestre, sont les enfants d'autres personnes. Ce ne sont pas les nôtres. Leurs parents croient savoir ce qui est bon pour eux. Nous devons respecter ça.

Sophie a raison. Pensions-nous pouvoir changer le monde ?

— Un instant, les filles, intervient Diane. Vous vous inquiétez pour rien. Comme je l'ai dit, les autres parents ne sont pas comme madame Lamarre. Ils approuvent notre projet et ils aiment les chansons que les enfants apprennent. Alors tant pis si Chloé, Céleste et Marco ne font plus partie du groupe. C'est dommage, mais il ne faut pas punir tous les autres enfants qui veulent toujours donner leur spectacle, n'est-ce pas ?

— Tu as raison ! convient Sophie en regardant les membres du groupe. Alors, vas-y, Stéphane ! Et en avant la musique !

Après cet incident, mes amies et moi faisons tout pour avoir l'air joyeux, surtout en la présence des enfants. Pourtant, je ne sais pas ce que pensent les autres membres du CBS, mais quand je me retrouve seule, j'ai le cafard. Ce n'est pas la musique de notre groupe qui me dérange. Je me suis rapidement rendu compte que peu de gens y trouveraient à redire parce que nous avons choisi des extraits d'une comédie musicale assez connue, comme *Un violon sur le toit*. Non, ce qui me tracasse, c'est ce que j'ai découvert.

En fait, je n'ai jamais eu l'impression d'être différente jusqu'à ce que je rencontre madame Lamarre. Je sais que chaque personne est unique. Il n'existe pas une autre Claudia Kishi, une autre personne exactement comme moi, qui aime les arts et les friandises, qui a de mauvaises notes à l'école, mais qui est bonne gardienne, etc. C'est une chose que mes parents m'ont expliquée quand j'étais toute petite. Ce que j'ai découvert, c'est qu'il y a des gens, dans mon propre quartier, qui ne m'apprécient pas parce que mes ancêtres viennent d'un autre pays.

De plus, à cause de toute cette histoire des Lamarre, je n'ai plus le goût de monter un spectacle. Je n'ai plus de plaisir à répéter avec les enfants.

Mais Karen Marchand a tout changé.

Un samedi après-midi, je vais chez Christine garder ses petits frères et sœurs, David, Émilie, André et Karen. Comme d'habitude, le reste de la famille de Christine s'est dispersé. Sa mère et Guillaume sont sortis pour passer l'après-midi tranquilles, sa grand-mère est à une réunion, Christine est avec Anne-Marie à la bibliothèque pour faire un devoir. Sébastien est à l'école pour une répétition générale de la plus récente pièce de son club de théâtre (il a même contribué à l'écrire). Et Charles est allé faire une balade en voiture. Je ne sais pas où il est parti, mais ce n'est pas grave, parce qu'en cas d'urgence je peux toujours joindre mes parents.

— Bon ! dit Karen lorsque Charles part avec sa voiture. C'est le dernier.

— Le dernier quoi ?

Je suis assise sur le perron de la maison de Christine. André, Émilie et David jouent dans la cour, mais Karen est venue me retrouver.

— Le dernier des grands, répond-elle. Maintenant, il n'y a que nous, les petits, et toi. On peut commencer à s'amuser.

— Qu'est-ce que tu as envie de faire, aujourd'hui ? dis-je en souriant.

— Je veux jouer.

— Jouer à quoi ?

Je suis prête à lui proposer n'importe quoi, sauf jouer à cache-cache. C'est ce que j'ai fait tout l'après-midi d'hier avec les enfants Barrette, qui m'ont trouvée presque à tout coup.

— Pas jouer à un jeu ! Jouer de la musique, répond Karen. On va répéter. Annie pourrait venir, et Léonard aussi.

— Eh bien... pourquoi ne pas jouer à cache-cache ? dis-je.

Ça vous montre à quel point notre projet est loin de mes pensées, aujourd'hui.

— Non ! s'écrie Karen. Nous avons besoin de répéter. S'il te plaît, Claudia ! Je vais même laisser Émilie répéter avec nous. Je lui donnerai une casserole et une cuillère. Elle pourra s'amuser comme si elle faisait partie de notre groupe et elle ne se sentira pas à l'écart.

Comment refuser ? Quelques instants plus tard, Annie et Léonard sont arrivés et les enfants répètent une des chansons du spectacle. Karen joue du mirliton et Annie, de l'harmonica. Les autres enfants ont des cymbales, des boîtes de céréales transformées en tambours et, évidemment, Émilie tape sur sa casserole avec une cuillère.

Après avoir joué la mélodie une fois, Karen annonce :

— On va faire semblant que nous sommes devant un public. Claudia, tu vas t'asseoir dans l'herbe et tu seras notre public. Nous allons nous installer sur les marches, comme si c'était une scène.

Les enfants prennent place sur les marches, puis Karen s'avance.

— Bonjour, mesdames et... Je veux dire bonjour madame. Je suis très très heureuse que vous soyez venue à notre spectacle. Je m'appelle... Je m'appelle Agnès Dutoit, et voici mon orchestre. Aujourd'hui, vous entendrez...

— Un instant ! l'interrompt David. Excusez-moi, mademoiselle Dutoit, mais comment ça se fait que vous essayez de tout diriger, comme d'habitude ?

— Parce que c'est moi qui ai eu l'idée, répond Karen. Donc, comme je vous le disais, nous interpréterons la populaire chanson « Anatevka », poursuit-elle en se tournant vers ses musiciens. À vos places !... Émilie, j'ai dit à vos places. Ça vaut pour toi aussi. Tu fais partie de l'orchestre, oui ou non ?

— Tu fais partie de l'orchestre, oui ou non, répète Émilie qui se promène dans la cour en remplissant sa casserole de brindilles, de feuilles mortes et de pétales de fleurs.

— Claudia ! m'implore Karen.

— Pourquoi ne pas jouer sans elle... mademoiselle Dutoit ?

— D'accord. Bon, prêts ? demande Karen à ses musiciens. Un, deux...

Et les enfants jouent « Anatevka » avec entrain. Lorsqu'ils ont terminé, Karen les prend en main.

— Pas mal, pas mal, dit-elle en fronçant les sourcils. Mais pas bien non plus. Vous savez ce qu'il nous faut ?

— Quoi ? demandent à l'unisson Annie et Léonard.

— Des uniformes ! Je suis sûre que nous jouerions mieux si nous avions des uniformes.

Je souris. Ça me rappelle un film que j'ai vu il n'y a pas si longtemps. C'est l'histoire d'un voyageur de commerce qui arrive dans une petite ville et se fait passer pour un professeur de musique. Il convainc tous les parents que les enfants ont besoin d'une fanfare et il réussit à leur vendre des instruments de musique coûteux et des uniformes extraordinaires. Mais le faux professeur se garde bien de leur dire qu'il n'a jamais été musicien, qu'il ne sait même pas jouer une note et qu'il ne peut pas par conséquent montrer aux enfants à jouer de leurs instruments. Eh bien, malgré tout cela, les enfants sont tellement fiers de leurs uniformes qu'ils ont confiance en eux-mêmes et finissent par donner un concert.

Je comprends pourquoi Karen veut que notre groupe ait un uniforme.

— Oui ! Des uniformes ! crie David. Ça sera super, n'est-ce pas, Léonard ?

Ça m'étonne, parce que David n'approuve généralement pas les idées de Karen.

— C'est sûr !

— D'accord, dit Karen. Je m'en occupe. Est-ce que je peux ?

— Ça va encore être toi qui décides ? crie André.

— J'ai plein d'idées, dit Karen d'un air supérieur. Allez, Annie, viens m'aider.

Karen et Annie disparaissent dans la maison. Pendant que nous attendons leur retour, Léonard suggère, les yeux rêveurs :

— Des uniformes bleus, avec une rayure sur les côtés du pantalon. Et des chapeaux bleus...

— On va ressembler à des policiers, proteste David.

— Je pense qu'on devrait porter des bottes à éperons, des jambières et un chapeau de cow-boy, avec un lasso, dit André.

— Nous voulons des uniformes, pas des déguisements, réplique David.

— Alors de quoi ça a l'air, un uniforme pour un groupe de musiciens ?

La porte de la maison s'ouvre brusquement.

— Ça a l'air de ceci ! lance Karen.

Annie et elle se dandinent sur la pelouse. J'ai de la difficulté à ne pas rire, parce qu'elles portent de longs jupons, de vieilles chaussures à talons hauts et des boas de plumes. Karen a de plus un chapeau de paille placé sur un voile de mariée, et Annie porte un casque de moto.

— Déguiser ! crie Émilie en laissant de côté sa casserole. Déguiser moi aussi !

David, Léonard et André restent sur les marches, bouche bée. Ils ne réussissent pas à articuler un seul mot.

— Et puis ? me demande Karen.

— Vous êtes... magnifiques.

— Oui, dit Léonard en retrouvant la parole. On dirait les fiancées de Frankenstein.

— Tu penses vraiment que ce sont des uniformes pour des musiciens ? demande prudemment David. L'idée d'André était meilleure. Il a proposé qu'on s'habille en cow-boys.

— Mais qu'est-ce qu'ils ont, nos uniformes ? demande Karen.

— Tu penses vraiment que les garçons vont porter des jupons et des chaussures à talons hauts ? réplique Léonard.

— Non... mais nous n'avons pas trouvé d'autres uniformes, admet Karen.

— J'ai trouvé ! s'exclame Annie. Et si tous les membres du groupe s'habillaient de la même façon ? Nous pourrions porter un jean et un haut rouge. Je suis sûre que tout le monde a un jean et un t-shirt ou une blouse rouge.

David ouvre la bouche puis la referme aussitôt. Cette fois-ci, il ne semble pas avoir de critique à formuler.

— J'ai un jean ! s'exclame André. Et un coton ouaté rouge.

— J'ai un jean et une blouse rouge, dit Annie.

— J'ai un jean et un t-shirt rouge, dit Karen. Il y a quelque chose d'écrit dessus, mais ce n'est pas grave.

— Hé, propose Léonard, nous pourrions peut-être porter des t-shirts rouges avec l'inscription « Les Enfants du monde ». Alors nous aurions vraiment tous le même uniforme.

L'idée plaît même à David.

— Eh bien, dis-je, je vais essayer de savoir combien coûteraient les t-shirts. Nous devrions peut-être recueillir de l'argent pour les acheter.

— Ou nous pourrions demander des dons lorsque nous donnerons notre premier concert, propose Karen.

— Alors, vous ferez mieux de jouer vraiment bien, dis-je.

— Ne t'en fais pas. Nous serons formidables. Allez, tout le monde ! On répète.

Et les enfants jouent « Anatevka » avec un enthousiasme renouvelé.

Pendant quelques moments, cet après-midi-là, j'ai pensé à autre chose qu'aux Lamarre.

CHAPITRE
13

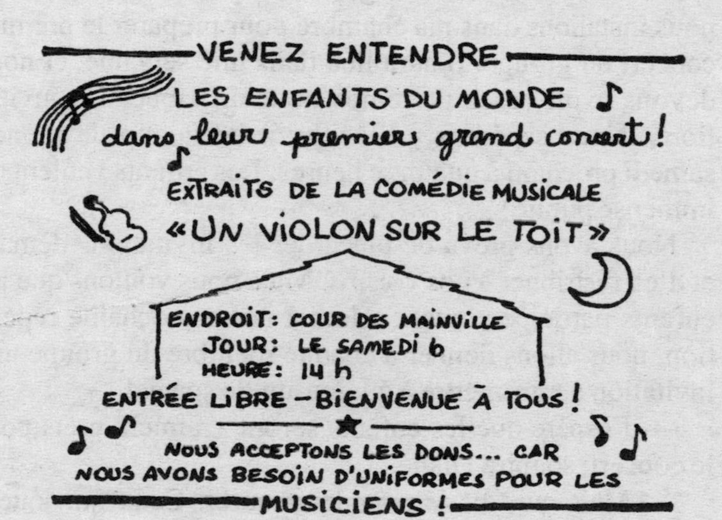
VENEZ ENTENDRE
LES ENFANTS DU MONDE
dans leur premier grand concert!
EXTRAITS DE LA COMÉDIE MUSICALE
«UN VIOLON SUR LE TOIT»
ENDROIT: COUR DES MAINVILLE
JOUR: LE SAMEDI 6
HEURE: 14 h
ENTRÉE LIBRE – BIENVENUE À TOUS!
NOUS ACCEPTONS LES DONS... CAR
NOUS AVONS BESOIN D'UNIFORMES POUR LES
MUSICIENS!

— Et puis ? Où en sommes-nous ? dis-je.

— Encore une petite pile, me répond Jessie.

— On a jeté les invitations où il y avait des fautes d'orthographe ? demande Christine.

— Oui, dis-je.

C'est évidemment moi qui ai fait des fautes, comme d'habitude. Quand Christine s'est rendu compte que certaines erreurs s'étaient glissées dans le texte des invitations, elle m'a plutôt chargée de les décorer. C'est beaucoup plus dans mes cordes de dessiner des instruments de musique et des motifs que d'écrire... et bien plus amusant !

Aujourd'hui, vendredi, j'ai invité mes amies à rester après la réunion et à manger de la pizza. Ensuite, nous nous installons dans ma chambre pour préparer le premier concert du groupe. Il aura lieu dans une semaine, et nous devons avoir assez de temps pour distribuer les invitations. Nous espérons qu'il y aura beaucoup de monde samedi prochain à quatorze heures. Les enfants veulent un immense public !

Nous avons prévu de placarder les invitations demain et d'en distribuer à nos voisins. Mais nous voulons que les enfants participent aussi. Alors à notre prochaine répétition, nous allons donner à chaque membre du groupe une invitation à transmettre à quelqu'un de spécial.

— J'espère que les enfants seront vraiment prêts pour le concert, soupire Diane.

— Mais oui, dis-je pour la rassurer. Ceux qui jouent des instruments importants (pas ceux qui ont des cuillères ou des tambours en boîtes de farine d'avoine), je veux dire nos pianistes et notre guitariste connaissent bien leur partition. Et les autres suivent à merveille. Je suis sûre que ce sera une réussite.

— Quel est notre horaire, cette semaine ? demande Sophie.

— Courtes répétitions lundi, mardi et mercredi, répétitions générales jeudi et vendredi, et concert samedi.

— J'espère qu'il y aura assez de place pour tout le monde dans la cour des Mainville, dit Anne-Marie.

— Ne t'inquiète pas, lui dis-je.

— Alors de quoi devrais-je m'inquiéter ?

— De petits détails, par exemple si Jérôme rabattait le couvercle du piano sur les mains de Stéphane et de Martine…

— Ou si Claire piquait une colère parce qu'elle a fait une erreur, dit Marjorie.

— Ou si Karen décidait d'arriver en maillot de bain, ajoute Christine. Vous savez, elle aime l'uniforme du groupe, surtout l'idée des t-shirts, mais elle veut quand même jouer dans un uniforme un peu plus… voyant.

— Comme son maillot de bain ?

— Imaginez-la en maillot avec des chaussures à talons hauts et une couronne : elle pourrait être Miss Nouville.

— Miss Nouville ! Oh ! la la !

Six jours plus tard, jeudi après-midi, un peu après l'école, nous procédons à la première répétition générale du groupe.

Tous les membres sont nerveux.

— Tu te rends compte, commence Sophie en s'approchant de moi, que samedi, à pareille heure, le concert sera terminé ?

— Je me demande si on va s'en sortir, soupire Diane.

— Allez, soyons optimistes, dis-je.

— Au moins, ajoute Christine, les enfants n'ont pas oublié d'apporter leurs instruments et de porter leur uniforme. C'est bon signe.

Elle a raison. C'est bon signe. Puis je me rappelle une phrase que ma sœur Josée avait dite un jour: « Quand la générale est réussie, la première est un échec. » Peut-être serait-il préférable que la répétition ne se déroule pas trop bien, après tout, si on ne veut pas que le concert soit un fiasco.

Je regarde les enfants entrer dans la cour. Certains sont seuls, la plupart arrivent en petits groupes. Tous portent un jean, des chaussures de sport et un haut rouge.

Lorsque nous sommes tous réunis, Christine me donne une petite tape sur l'épaule.

— Ça y est, Claudia. On peut commencer.

Je tape dans mes mains pour attirer l'attention des enfants.

— C'est la répétition générale. Cela veut dire que nous donnons notre concert exactement comme si le public était ici. Nous ne nous arrêtons pas s'il y a des erreurs, parce que nous ne pourrons pas faire ça samedi. Nous continuons, quoi qu'il arrive. Alors, vous allez faire comme si Sophie, Jessie, Christine, Marjorie, Anne-Marie, Diane et moi, nous étions le public, comme si on était samedi, qu'il était quatorze heures, et que les spectateurs attendaient patiemment que le concert commence. Jérôme, tu es prêt ?

Jérôme s'avance, puis il se retourne et examine le groupe. Les enfants se sont placés comme prévu : ceux qui jouent de « vrais » instruments sont devant, les joueurs de mirliton et les percussionnistes sont derrière, et les chanteurs sont installés en demi-cercle sur le côté. Jérôme leur fait un signe de la tête et se tourne vers le public.

— Bienvenue, parents et amis, dit-il d'une voix forte, puis il fait une courte pause. Et bienvenue aux frères et aux sœurs et aux grands-parents... et aux demi-frères et aux... aux... aux demi-familles. Et aux tantes, aux oncles et aux cousins. Alors, bienvenue. Je suis fier de vous présenter aujourd'hui « Les Enfants du monde ». C'est un groupe que nous venons de fonder, et nous donnons aujourd'hui notre premier concert. Nous allons interpréter des extraits de... de...

— *Un violon sur le toit*, souffle Karen.

— Je le sais ! murmure Jérôme. Des extraits d'une comédie musicale très célèbre à laquelle j'ai déjà assisté, *Un violon sur le toit*. Et maintenant, voici la première pièce, « Anatevka ». Allez-y, les gars ! conclut-il en faisant un signe à Stéphane et à Martine.

Cette dernière lui lance un regard noir.

— Je veux dire... allez-y !

Jérôme se précipite vers le groupe des joueurs de mirliton, marche sur ses lacets dénoués, tombe sur notre violoniste, Matthieu Hobart, et perd son mirliton.

Je ferme les yeux. Quand je les ouvre, les enfants ont repris leur place et Jérôme tient son mirliton à la main. Au clavier, Stéphane et Martine échangent un regard, puis Stéphane fait un signe de tête, et les premiers accords d'« Anatevka » retentissent dans la cour. L'un après l'autre, les autres enfants se mettent de la partie et, bientôt, tous chantent ou jouent de leur instrument.

À la fin de la pièce, les membres du CBS applaudissent à tout rompre.

« Les Enfants du monde » interprètent deux autres pièces. Puis, pendant la quatrième, « Tradition », Claire se trompe. Pendant une mesure où on ne doit pas entendre un son, elle continue à frapper sur son tambour. Elle s'arrête net et met une main sur sa bouche.

— Oh ! oh ! dit bien fort Suzon Barrette. Tu as fait une gaffe.

— Je le sais, réplique Claire.

Les autres musiciens continuent à jouer, mais Claire se met en colère.

— Arrêtez ! crie-t-elle. Arrêtez ! Je vous ai dit d'arrêter ! Il faut recommencer !

— Claire a fait une gaffe, répète Suzon.

C'est la confusion dans le groupe. Certains continuent à jouer, d'autres se sont arrêtés, d'autres encore ne savent plus où ils en sont rendus.

— Qu'est-ce que je dois faire ? dis-je à Christine.

— Essaie de voir s'ils peuvent arranger ça eux-mêmes, me répond-elle.

— Et s'ils n'y arrivent pas, j'irai chercher Claire, ajoute Marjorie. J'aurai peut-être à le faire samedi.

C'est presque la débandade, puis Jérôme hurle :

— On reprend ! Un, deux...

Claire boude pendant quelques mesures, mais elle recommence à jouer.

— Ouf ! fais-je.

Après une autre pièce, Jérôme annonce :

— C'est maintenant l'heure de l'entre... de l'entracte. Au fait, j'en profite pour vous annoncer que le groupe voudrait acheter des t-shirts rouges pour nos uniformes. Si vous voulez nous donner des sous, on va les prendre avec plaisir. Comme vous le savez, ce concert est gratuit. Vous n'avez rien payé pour entrer dans la cour des Mainville.

Les enfants se reposent un moment, et je demande à Jérôme de venir me trouver. Avant que je ne puisse placer un mot, il dit :

— Je sais que ce n'était pas prévu. J'ai écrit ça hier soir.

— C'était très bien, mais je ne pense pas que tu auras à dire cela. Samedi, nous placerons des paniers pour les dons. Ne dis pas aux spectateurs qu'ils n'ont pas eu à payer pour voir le spectacle. Cela pourrait les blesser.

— D'accord, d'accord.

Jérôme s'éloigne et je réprime un éclat de rire, tout comme Jessie et Sophie. De l'autre côté de la cour, Marjorie discute avec Claire. Lorsqu'elle vient nous rejoindre, Jérôme reprend la parole et crie :

— Hé, les spectateurs, l'entracte est terminé. Assoyez-vous.

— Va-t-il s'adresser aux gens sur ce ton, samedi ? demande Anne-Marie d'un air horrifié.

— Les adultes vont peut-être trouver ça amusant, chuchote Jessie.

— Peut-être, dis-je, mais j'ai l'impression que je devrais lui parler avant la répétition de demain. Je ne veux pas que les gens se vexent.

À la fin de la répétition, je vais trouver Jérôme et j'essaie de lui expliquer le sens du mot « tact ». Je ne suis pas sûre d'avoir réussi.

— Sois poli, Jérôme.

— Poli, répète-t-il d'un air sérieux.

— Dis ce que toi, si tu étais un spectateur, tu aimerais entendre. Mets le public à l'aise.

— À l'aise.

— Fais preuve de jugeote.
— Claudia…
— Oui ?
— Je crois que je suis venu au monde sans jugeote.

Il est 17h5, et on est vendredi. Dans vingt-quatre heures, le spectacle du groupe «Les Enfants du monde» sera terminé. Je suis aussi nerveuse que si c'était moi qui allais donner le spectacle. Je n'arrête pas de penser à la colère de Claire et aux propos de Jérôme qui, croit-il, va inciter les gens à donner de l'argent pour les t-shirts. Je marmonne :

— Quelle affaire !

— Qu'est-ce qui se passe ?

— Oh ! Christine, tu m'espionnes, maintenant ? dis-je en me retournant.

— Je ne t'espionnais pas, réplique-t-elle, indignée. J'ai monté l'escalier comme d'habitude, et tu sais que je fais toujours du bruit.

— Je sais.

— Merci.

— C'est ça.

Christine me regarde d'un air froid.

— Excuse-moi. Le concert me rend nerveuse. Je ne voulais pas m'en prendre à toi.

— La répétition s'est vraiment bien passée, dit Christine en s'affalant sur mon lit. Tu n'as pas à t'inquiéter.

— Eh bien, je m'inquiète quand même. Surtout quand je pense à la colère de Claire et au discours de Jérôme.

— Mais Claire n'a pas fait de colère aujourd'hui, et le discours de Jérôme était bien meilleur qu'hier.

— Tu as raison.

— Allez, laisse Anne-Marie s'inquiéter. C'est elle, la championne de l'inquiétude.

— Quoi ? s'exclame Anne-Marie en entrant dans ma chambre.

— Maintenant, c'est toi qui nous espionnes ! dis-je.

— Pardon ? fait Anne-Marie. Et si tu veux savoir, Christine, je n'ai jamais gagné de championnat d'inquiétude.

Jessie entre à son tour, en souriant.

— Vous devriez vous entendre, dit-elle. On dirait de vieilles chipies.

— Connaissez-vous la maxime qui veut que « si la générale est réussie, la première est un échec » ? dis-je.

— Oui, répond Jessie.

— Crois-tu que c'est vrai ?

— Je ne sais pas, fait-elle en secouant la tête. C'est une superstition.

— De toute façon, ajoute Christine, tout ce que nous pouvons faire, c'est attendre à demain. Nous avons répété encore et encore. Je crois que les enfants sont prêts comme jamais. Espérons simplement que tout se passera bien.

Les autres membres du CBS arrivent l'un après l'autre et, à 17 h 30, Christine ouvre la réunion.

— Avez-vous des points à mettre à l'ordre du jour ? demande-t-elle.

— Oui, dis-je. Les Lamarre.

Six têtes se tournent lentement vers moi.

— Les Lamarre, répète Jessie.

— Je crois qu'il s'agit d'une question restée en suspens, dit Christine. Nous n'en avons pas parlé depuis quelques jours. Claudia a raison. Il faut qu'on en discute.

— Pourquoi ? demande Sophie d'un ton plaintif.

— De quoi te plains-tu, ô blonde aux yeux bleus ? Ils ne t'ont pas trouvée bizarre, toi.

— Exactement. Et comment penses-tu que je me sens, à l'idée que madame Lamarre m'apprécie ? Je ne veux pas de son appréciation. Parce que si elle m'aime, c'est que quelque chose ne tourne pas rond chez moi. Vous comprenez ?

— Je comprends, fait Diane, mais en quoi l'opinion de madame Lamarre à ton sujet peut-elle te déranger ?

— Je ne sais pas, répond Sophie après un silence.

— De toute façon, là n'est pas la question, dit Christine. Il s'agit de savoir ce qu'on fera si madame Lamarre nous appelle pour avoir une autre gardienne.

— Tu crois vraiment qu'elle rappellera ? demande Sophie.

— On ne sait jamais

— Eh bien, je crois que nous devrions donner une bonne leçon aux Lamarre, intervient Marjorie.

— Comment ? demande Diane.

— Je ne sais pas, mais j'aimerais leur faire comprendre qu'ils n'ont pas été justes envers Claudia et Jessie. Ils ont été méchants, grossiers et... stupides.

— Comment donner une leçon à madame Lamarre ? demande Christine. Nous ne sommes pas des adultes.

— La prochaine fois qu'elle appellera, nous devrions lui dire que nous n'irons plus garder chez elle parce que nous n'aimons pas les gens qui ont des préjugés, dis-je avec ferveur.

— Claudia, tu sais très bien qu'on ne peut pas lui dire des choses pareilles, s'oppose Christine.

— D'accord, alors disons que nous ne gardons pas des enfants blonds aux yeux bleus.

— Claudia, s'il te plaît ! crie Diane. Sophie et moi sommes des blondes aux yeux bleus. Et, de plus, si on dit quelque chose comme ça à madame Lamarre, nous ne valons pas plus cher qu'elle. C'est un préjugé, ça aussi.

— D'après moi, nous devons vraiment apprendre quelque chose à Chloé, Marco et Céleste, ajoute Marjorie. Mais pas méchamment. Juste en leur disant que la plupart des gens sont gentils. Si nous ne le faisons pas et qu'ils grandissent dans leur univers de préjugés, ce sera notre faute.

— Non, ce ne sera pas notre faute, l'interrompt Jessie. Ce sera la faute de leurs parents. Le mal est déjà fait.

Dring, dring !

Je me précipite sur le téléphone. Avant de décrocher le combiné, je me dis que je ne dois pas avoir un ton furieux. Je prends une grande inspiration.

— Oui allô, le Club des baby-sitters.

— Bonjour, Claudia !

— Salut, Jonathan !

— Bonjour, bonjour. Maman m'a dit que je pouvais t'appeler. Je me demandais ce qu'on ferait s'il pleuvait demain ?

J'ouvre les yeux tout grands, puis je couvre le combiné de ma main et je dis à mes amies :

— Aïe ! Et s'il pleut demain ? Nous n'avons pas pensé à ça. Le piano électrique ne peut pas rester dehors s'il pleut. C'est un désastre.

— Claudia, dit calmement Christine, le désastre n'est pas encore arrivé. Et la météo prévoit du beau temps pour demain.

— Et tu y crois, toi ?

— S'il pleut, nous trouverons une solution. Nous installerons le groupe dans le garage, pour que les enfants soient à l'abri.

— Mais les spectateurs, eux, ne pourront jamais tous s'entasser dans le garage !

— Alors on annulera le spectacle, siffle Christine en faisant un geste en direction du combiné. Parle à Jonathan avant qu'il ne raccroche.

— Jonathan, dis-je doucement. Ne t'inquiète pas. Je te verrai demain. Au revoir.

Et je raccroche.

— Au sujet des Lamarre… commence Jessie.

Dring, dring !

— Je prends cet appel, dit Christine en me jetant un coup d'œil. Oui allô, le Club des baby-sitters… Karen ? Qu'est-ce qu'il y… Ton mirliton ? As-tu cherché partout dans ta chambre ? D'accord… Et dans la voiture ? Es-tu sûre que tu l'avais à la répétition de cet après-midi ? Quoi ? Ah !… tu en as joué très fort dans l'oreille d'André en rentrant à la maison ! Alors peut-être qu'André l'a caché. Passe-le-moi…

Christine essaie de ne pas rire.

— Bonjour, André. Écoute, tu n'as pas vu le mirliton de Karen, n'est-ce pas ? Tu sais, elle en a besoin pour le concert. Et si elle ne trouve pas le sien, je lui prêterai celui de Sébastien... Ah ! bon ! Tu viens de te rappeler où il est ? Merveilleux. Alors va le chercher et repasse-moi Karen.

Christine écoute quelques instants et fait la grimace. Elle éloigne le combiné de son oreille, puis elle dit :

— Karen, qu'est-ce qui se passe ? Non, laisse André aller le chercher lui-même. Tu ne dois pas connaître ses cachettes.

Christine demeure au téléphone plus de cinq minutes, réglant les problèmes entre André et Karen. Avant qu'elle ne raccroche, André a rapporté le mirliton et Karen s'est excusée d'avoir rendu son frère presque sourd. Christine rit de l'incident, mais reprend vite son sérieux.

— Revenons au cas Lamarre, dit-elle. Nous n'avons pas pris de décision.

— J'ai une idée, suggère Jessie. Je pense que si madame Lamarre nous rappelle, nous devrions simplement lui dire que personne n'est libre. Après quelques fois, elle cessera de nous appeler.

— Peut-être, dis-je avec un soupir. Mais alors personne n'aura tiré une leçon de ce qui s'est produit, sauf nous. Et nous n'avions pas besoin de ce genre de leçon.

— Ce n'est peut-être pas notre rôle de remettre les Lamarre à leur place, ajoute Diane.

— Il y a une chose qu'on peut faire, dit Jessie.

— Quoi ? demandons-nous avec empressement.

— Nous pourrions donner le bon exemple aux enfants que nous gardons. Tous les enfants, qu'ils aient des préjugés ou non.

— Bravo ! s'écrie Sophie. Mais nous ne devons pas leur imposer nos idées.

— C'est ça, approuve Jessie. Nous pouvons seulement leur montrer comment se comporter en bons voisins.

Nous gardons le silence quelques instants. Puis je prends la parole :

— C'est étrange, et ça peut sembler difficile à croire, mais je ne réussis pas à détester les Lamarre. J'ai l'impression que je devrais les haïr, mais je n'y arrive pas.

— Mes parents m'ont dit, explique Marjorie, qu'on peut haïr certaines choses que les gens font, mais qu'il ne faut pas haïr les gens qui les font.

— Comme Karen qui n'a pas aimé qu'André cache son mirliton, mais qui ne haïssait pas André pour autant, ajoute Christine.

— Les filles, dis-je en fronçant les sourcils, on se croirait à l'école. On devrait grignoter quelque chose.

— Trop tard ! s'exclame Anne-Marie en consultant sa montre. Il est presque dix-huit heures. On n'a plus le temps. Alors soyons de bonnes filles et ne nous gâtons pas l'appétit avant le souper.

— Mais nous, on mange du foie, ce soir ! dis-je.

— Alors avale vite une tablette de chocolat avant de descendre, fait Marjorie. Du foie ! Beurk ! Pourquoi pas du singe ?

— Du singe ? s'écrie Christine. Hé...

— Ça suffit, dit Anne-Marie. Marjorie, pourquoi as-tu parlé d'aliments dégoûtants ? Tu sais bien que c'est le sujet préféré de Christine.

— Dix-huit heures, annonce Christine en l'ignorant. L'assemblée est levée.

— Une minute ! dis-je. Ne partez pas tout de suite. Le concert commence à quatorze heures demain. Rendez-vous ici à treize heures. En jean et t-shirt rouge, comme les enfants. Qui apporte les paniers pour les dons ?

— Moi, répond Marjorie. J'en ai trouvé trois.

— Et qui apporte les chaises ?

Nous avons prévu des chaises pliantes pour les gens âgés. Les autres s'assoieront sur la pelouse, comme dans tous les concerts en plein air.

— Moi ! répondent en chœur Anne-Marie, Diane, Jessie et Sophie.

— C'est tout, Claudia ? me demande Christine.

— Je pense que oui.

— D'accord. Alors, à demain, les filles.

— Et espérons qu'il fera beau ! dis-je.

J'ai fait des cauchemars. Il pleuvait, il tonnait. Dans un de mes rêves, «Les Enfants du monde» donnaient leur spectacle sous un beau soleil. Puis, sans avertissement, un orage s'est abattu. Les enfants et les spectateurs n'avaient pas eu le temps de se mettre à couvert lorsqu'un éclair a frappé le piano électrique, qui s'est mis à lancer des étincelles, pour finir en un petit tas de cendres. Stéphane et Martine se tenaient toujours en position de jouer, comme pétrifiés.

Dans mon rêve, j'ai hurlé. (J'espère que je n'ai pas crié pour vrai. Ç'aurait été un peu gênant.) Puis l'orage a cessé, le concert a repris, et Stéphane et Martine jouaient de la guitare plutôt que du piano. Le public croyait que l'éclair était un de ces effets spéciaux qu'on voit dans les concerts rock et a bruyamment applaudi à la fin. Et les spectateurs ont donné assez d'argent pour payer tous nos t-shirts.

Ce n'était peut-être pas un cauchemar, après tout.

De toute façon, en me réveillant samedi matin, je suis soulagée, car le soleil brille. Le ciel est sans nuages. Pourtant, en sautant du lit, je me précipite sur la radio pour écouter le bulletin de la météo. « Aujourd'hui, on prévoit une journée claire, chaude et ensoleillée. Maximum vingt degrés, minimum quinze. »

— Va-t-il pleuvoir ? dis-je, comme si la radio pouvait m'entendre.

« On n'annonce aucune possibilité d'averses. »

Ouf !

Il est huit heures et quart. À treize heures, je suis assise sur le perron et, lorsque mes amies arrivent, il fait un soleil radieux.

— Quelle belle journée ! lance Christine en traversant la pelouse.

— Oui. Nous avons de la chance.

Marjorie se présente avec ses paniers, et les autres arrivent en voiture avec leurs parents, qui les aident à transporter les chaises pliantes chez les Mainville.

À treize heures trente, la cour des Mainville a l'air de... eh bien, l'air d'une cour remplie de chaises.

Jonathan sort en trombe de chez lui et essaie chaque chaise.

— Parfait... Parfait... Parfait... dit-il.

Pendant ce temps, les membres du Club des baby-sitters installent un fil de rallonge qui va de la maison des Mainville jusqu'au piano électrique. Marjorie, elle, dispose ses paniers sur trois petites tables.

J'accroche une enseigne devant le garage. J'ai fait le lettrage moi-même, mais Sophie m'a aidée, pour qu'il n'y ait pas de fautes. On y lit :

LES ENFANTS DU MONDE
GRANDE PREMIÈRE
AUJOURD'HUI... ICI MÊME !
BIENVENUE À TOUS
ENTRÉE LIBRE
(NOUS ACCEPTONS LES DONS !)

— On est ici ! On est ici !

En entendant ces petites voix, je me retourne. Gabrielle et Myriam Séguin remontent l'allée, vêtues d'un jean et d'un t-shirt rouge.

— Prêtes ?

— Tout à fait prêtes, répond Gabrielle d'un air sérieux.

Les membres du groupe arrivent les uns après les autres. Ceux qui habitent tout près de chez Jonathan viennent seuls. Les autres sont accompagnés de leurs parents, et nous demandons aux adultes de s'installer sur la pelouse pour que nous puissions procéder aux derniers préparatifs. Il est déjà près de quatorze heures.

— Où est Jérôme ? Qu'est-ce qu'on va faire s'il ne vient pas ? dis-je.

— Claudia ! lance Christine d'un ton exaspéré. Tu deviens aussi inquiète qu'Anne-Marie.

— Je t'ai encore entendue, cette fois-ci ! dit Anne-Marie. Les filles, vous devriez être contentes que je sois là. Je veille personnellement à m'inquiéter pour vous toutes. Claudia, tu ne m'arrives pas à la cheville !

— Bonjour tout le monde ! lance une voix familière.

— Jérôme ! dis-je en me précipitant vers lui et en le prenant dans mes bras. Je suis si heureuse que tu sois là !

— Arrête ! fait-il en me repoussant, les joues rouges. Tu

es une fille ! J'espère que Nicolas n'a rien vu, ajoute-t-il nerveusement en fouillant du regard le groupe d'enfants.

— Allez, Jérôme ! Ne fais pas cette tête. Viens, le spectacle commence dans dix minutes. Regarde combien il y a de spectateurs !

Jérôme Robitaille se tient devant le groupe « Les Enfants du monde », tous en jean et t-shirt rouge. La plupart des spectateurs sont confortablement installés sur des couvertures ou des serviettes de plage. Les autres sont assis sur les chaises pliantes.

— Bienvenue, bananes et mes yeux ! lance-t-il devant un public attentif. Vous savez, quelque chose d'étrange m'est arrivé en me rendant ici.

Jérôme me jette un coup d'œil interrogateur, et je lui fais de grands signes, comme pour dire : « COUPEZ ! » À côté de moi, Christine voudrait disparaître sous terre.

— Mais pour qui il se prend ? Ce n'est pas le festival de l'humour !

Heureusement, Jérôme a compris mon message. Il reprend :

— Bienvenue, parents et amis, frères et sœurs, grands-parents et toutes les familles.

Je respire, mais Christine, elle, demeure tendue.

— J'ai l'immense plaisir de vous présenter aujourd'hui le groupe « Les Enfants du monde ». C'est notre nouveau groupe, et nous donnons notre premier concert. En fait, c'est moi qui en ai eu l'idée.

— Jérôme ! Jérôme ! dit Claire Picard. Tu n'es pas censé dire ça. Ce n'est pas prévu.

Mais Jérôme l'ignore.

— Nous allons vous interpréter des extraits de… de…

— *Un violon sur le toit*, lance Karen.

Les spectateurs éclatent de rire.

— … de la célèbre comédie musicale *Un violon sur le toit*, poursuit Jérôme. Voici la première pièce, intitulée « Anatevka ». Allez-y, Stéphane et Martine.

Jérôme va rejoindre les joueurs de mirliton (sans trébucher, cette fois-ci). Il laisse tomber son instrument deux fois, mais personne ne le remarque.

À la fin de la pièce, les spectateurs applaudissent. Les frères aînés de Christine vont même jusqu'à siffler, tellement ils sont enthousiasmés. Puis, Stéphane et Martine jouent les premières mesures de « Ah ! si j'étais riche, moi ! ». Cette pièce est difficile. Nous nous sommes arrangées pour qu'on n'entende que le piano, le violon et la guitare, pendant que les autres instrumentistes se reposent.

Mais Claire, elle, oublie la consigne.

La troisième fois qu'elle frappe sur son tambour, Augustin lui donne un coup de coude.

La quatrième fois, elle ouvre la bouche toute grande et…

— Elle va crier ! dis-je tout bas à Marjorie.

Marjorie garde son calme.

— Je ne pense pas. Je lui ai dit que si elle sentait le besoin de crier, elle devait le faire à l'intérieur de sa tête.

Et, comme de fait, la bouche de Claire se referme sans le moindre son.

La suite de la pièce et le reste du concert se sont déroulés sans encombre. Bruno Barrette a chanté alors que tout le monde devait se taire, Charlotte a oublié une partie de

« Tradition » et Jérôme a laissé tomber son mirliton plusieurs fois, mais personne ne s'en est formalisé.

Avant l'entracte, Jérôme a annoncé poliment, et sans insister, que nous avions disposé trois paniers pour recueillir les dons afin de faire imprimer des t-shirts. À la fin du concert, il a remercié le public en disant :

— Merci d'être venus ! J'espère que vous avez aimé le spectacle.

J'aurais aimé que quelqu'un filme le concert sur vidéo. Surtout la fin. Après les remerciements de Jérôme, les spectateurs se lèvent et nous donnent toute une ovation. Puis les parents viennent trouver leurs enfants, les embrassent et les félicitent. Je hurle à Sophie, par-dessus le vacarme :

— C'est une réussite !

— Oh ! oui ! me répond-elle en souriant.

La cour ressemble au quai d'une station de métro à l'heure de pointe. Des gens courent de-ci de-là, discutent avec animation. Je regarde autour de moi en surveillant la scène et j'aperçois deux petits enfants qui ouvrent la barrière des Mainville : Chloé et Marco Lamarre. Jessie est à côté de moi, et je lui donne un coup de coude en m'exclamant :

— Regarde !

Je pointe du doigt les deux enfants et Jessie a juste le temps de les voir s'enfuir à toutes jambes vers leur maison.

— Je n'arrive pas à y croire, murmure Jessie. Je suis sûre que leurs parents ne savent pas qu'ils sont venus ici.

— Probablement que non. Et tu sais quoi ? Quand je les ai aperçus, ils avaient l'air triste.

— Je crois qu'ils auraient aimé être avec nous, aujourd'hui, poursuit Jessie. Ils auraient sûrement voulu participer au spectacle.

— Même si nous étions là, nous, les filles à l'air bizarre ?

— Je le crois.

— Jessie, dis-je prudemment, penses-tu que les enfants Lamarre trouvent réellement que nous avons l'air bizarre, ou… ou que nous sommes méchantes ou idiotes ? Ou est-ce qu'ils ne font que répéter ce que leurs parents leur disent ?

— Je ne sais pas.

— C'est parce que je me pose des questions. Chloé, Marco et Céleste sont encore très jeunes. Quand ils vieilliront, ils changeront peut-être d'opinion. Peut-être qu'ils ne seront pas automatiquement du même avis que leurs parents.

— Tu veux dire qu'ils pourraient changer ?

— C'est possible. Après tout, ils vont à l'école. Je ne sais pas quelle école ils fréquentent, mais il doit y avoir là au moins quelques enfants d'origine asiatique, quelques Noirs et quelques juifs, tout de même.

— Oui.

— Et aujourd'hui, on aurait vraiment dit qu'ils voulaient être des nôtres.

— Peut-être.

— Et peut-être qu'un jour ils redeviendront membres du groupe « Les Enfants du monde ».

— Peut-être.

— Claudia ! Claudia ! crie Jérôme en se précipitant vers moi. J'ai bien fait ça ?

Je tends les bras, puis je m'arrête et je lui souris.

— Tu as été merveilleux !
— Si tu voyais tout l'argent qu'on a recueilli !
— Beaucoup ?
— Pas mal de sous... J'ai bien fait ça, vraiment ?
— Très bien.
— Tu en es sûre ?
Je ne peux pas résister. Je le prends dans mes bras.
— Tu as été fantastique !
— Merci, répond-il poliment.

57

DIANE SAUVE LA PLANÈTE

Quatre gardiennes fondent leur club

Ann M. Martin

Adapté de l'américain par
Marie-Claude Favreau

« D'après vous, les jeunes peuvent-ils contribuer à sauver notre planète ? »

Voilà la question que madame Gonzalez, notre professeure d'écologie, nous a posée en classe, aujourd'hui. La plupart de mes camarades se sont contentés de la regarder bêtement, mais moi, j'ai tout de suite levé la main en criant : « Oui ! c'est sûr ! »

Quand il s'agit d'environnement ou d'alimentation naturelle, j'ai la réputation d'être plutôt enthousiaste. D'ailleurs, parce que je ne mange ni viande rouge ni friandises, mes amies du CBS (le Club des baby-sitters) ne se gênent pas pour me taquiner. Bah ! Ma mère et moi avons toujours mangé des choses saines, comme des légumes crus, du tofu et du riz brun, et nous ne nous en portons que mieux.

Madame Gonzalez me sourit.

— Diane a raison. Même si vous êtes jeunes, vous pouvez participer à la sauvegarde de la planète. En commençant à la maison ou à l'école.

Madame Gonzalez a une allure très décontractée avec

ses longs cheveux noirs tressés qui lui tombent dans le dos. Elle pointe du doigt les affiches qu'elle a collées sur le tableau.

— J'ai dressé la liste des problèmes environnementaux auxquels nous faisons face. Diane, peux-tu la lire à haute voix, s'il te plaît ?

Tous les élèves se tournent vers moi, et Alain Grenon — le plus dégoûtant et le plus bébé des étudiants de deuxième secondaire — se met à loucher en me regardant. Feignant de l'ignorer, je lis :

— Pluies acides et pollution atmosphérique.

— Les voitures et les centrales au charbon, explique notre professeure, relâchent dans l'air des gaz invisibles. En se mélangeant à l'eau, ces gaz la rendent très acide. Quand ils se mêlent aux nuages de pluie ou de neige, ils provoquent des précipitations acides qui détruisent les arbres et polluent l'eau de nos rivières. La pollution de l'air rend la respiration difficile.

— Disparition de certaines espèces animales, continué-je.

— Plus la population augmente, dit madame Gonzalez en déambulant entre les pupitres, plus on défriche de forêts pour lui faire de la place. Les habitats des animaux sauvages sont remplacés par des maisons et les espèces animales disparaissent peu à peu.

— Trop de déchets, continué-je en fronçant le nez.

— Nos détritus sont enterrés dans le sol ou jetés dans l'océan.

Madame Gonzalez s'arrête à côté de moi et croise les bras.

— Bientôt, il n'y aura plus de place. Quelle est la solution ?

Titres de la collection

1. Christine a une idée géniale
2. De mystérieux appels anonymes
3. Le problème de Sophie
4. Bien joué Anne-Marie !
5. Diane et le trio terrible
6. Christine et le grand jour
7. Cette peste de Josée
8. Les amours de Sophie
9. Diane et le fantôme
10. Un amoureux pour Anne-Marie
11. Christine chez les snobs
12. Claudia et la nouvelle venue
13. Au revoir, Sophie, au revoir !
14. Bienvenue, Marjorie !
15. Diane... et la jeune Miss Nouville
16. Jessie et le langage secret
17. La malchance d'Anne-Marie
18. L'erreur de Sophie
19. Claudia et l'indomptable Bélinda
20. Christine face aux Matamores
21. Marjorie et les jumelles capricieuses
22. Jessie, gardienne... de zoo
23. Diane en Californie
24. La surprise de la fête des Mères
25. Anne-Marie à la recherche de Tigrou
26. Les adieux de Claudia
27. Jessie et le petit diable
28. Sophie est de retour

29. Marjorie et le mystère du journal
30. Une surprise pour Anne-Marie
31. Diane et sa nouvelle sœur
32. Christine face au problème de Susanne
33. Claudia fait des recherches
34. Trop de garçons pour Anne-Marie
35. Mystère à Nouville
36. La gardienne de Jessie
37. Le coup de foudre de Diane
38. L'admirateur secret de Christine
39. Pauvre Marjorie !
40. Claudia et la tricheuse
41. Est-ce fini entre Anne-Marie et Louis ?
42. Qui en veut à Jessie ?
43. Une urgence pour Sophie
44. Diane et la super pyjamade
45. Christine et le drôle de défilé
46. Anne-Marie pense encore à Louis
47. Marjorie fait la grève
48. Le souhait de Jessie
49. Claudia et le petit génie
50. Le rendez-vous de Diane
51. L'ex-meilleure amie de Sophie
52. Anne-Marie en a plein les bras
53. Un autre poste de présidente pour Christine ?
54. Marjorie et le cheval de rêve
55. La médaille d'or pour Jessie

Quelques notes sur l'auteure

Pendant son adolescence, ANN M. MARTIN a gardé beaucoup d'enfants, à Princeton, au New Jersey. Maintenant, elle ne garde plus que Mouse, son chat, qui vit avec elle dans son appartement de Manhattan, dans le centre de New York.

Elle a publié plusieurs autres livres dans la collection *Le Club des baby-sitters*.

Elle a été directrice de publication de livres pour enfants, après avoir obtenu son diplôme du Smith College.